Bernlef

Het begin van tranen

Verhalen

Amsterdam · Antwerpen
Em. Querido's Uitgeverij BV
2008

Eerste en tweede druk, 2008

Copyright © 2008 Bernlef
Voor overname kunt u zich wenden tot
Em. Querido's Uitgeverij BV, Singel 262,
1016 AC Amsterdam.

Omslag Anneke Germers
Omslagbeeld August Strindberg, privécollectie
Foto auteur Leo van der Noort

ISBN 978 90 214 3376 9 / NUR 301
www.querido.nl

Inhoud

Van een kat en een harmonica

'Göran, Göran, er is geen water meer.'

Alleen de kat die met haar staart om zich heen geslagen boven op de bruine linnenkast zat, hoorde het hoge gebarsten stemmetje van het vrouwtje en sprong van de kast om haar kop langs de zwarte kousenbenen van Eva Berndt te wrijven.

Eva Berndt stond midden in de lage kamer. Het geluid van het bos zou hier te horen zijn geweest – de deur stond open – maar de ruimte van het vertrek werd geheel gevuld door melancholieke harmonicamuziek die de vogels en de wind overstemde met een aarzelend liedje, nu en dan onderbroken door een hoog gepiep alsof de harmonica astma had en bij iedere maat klaaglijk ademhaalde.

Aan iedere bezoeker vertelde Göran trots hoe hij deze harmonica in Hamburg had gekocht, vroeger toen hij nog zeeman was en heel Europa had bevaren. Bij zo'n gelegenheid liet hij ook de harmonica zien waarop hij op het schip speelde, 's avonds terwijl de andere mannen een kaartje legden. Göran kende alle schlagers en de mannen zongen vals en enthousiast mee maar dat was lang

geleden. Hij wist zelf niet meer precies hoe lang.
De verf op de harmonicabalg was gebladderd en
de voorstelling die erop had gestaan was op enkele fragmenten na – een gelige trompet in een
hand, een paard, iets wat op water leek (of was het
lucht) – verdwenen.

Ieder jaar waren meer gebeurtenissen, data en
voorwerpen door de grijze deur van zijn aderver-
kalking verdwenen tot er hem nu nog slechts drie
dingen helder voor ogen kwamen: zijn harmonica, het ene liedje en zijn kat. Hij waakte over hen
met al zijn zorgzaamheid die zich om de rest van
de wereld niet meer bekommerde.

Daarom duurde het ook enkele minuten voor
hij de nauwelijks meer vertrouwde stem van zijn
kleine vrouw hoorde, die in de kamer stond, met
haar rechterhand van de emmer naar hem wijzend.

'Göran, er is geen water meer.'

Hij hield op met spelen, legde de harmonica
op de ronde houten tafel, die aan de rand vol zat
met zwarte brandvlekken van de sigarenpeuken
die hij daar steeds weer tot grote woede van Eva
op uitdrukte. De harmonica zuchtte nog één keer
hoog en piepend, toen was ze stil.

'Sluit de deur,' riep hij opeens onverwacht fel.
'Moet de kat soms weglopen? Poesie... poesie...
kom dan,' zei hij tot de ruimte van de kamer achter zich sprekend alsof hij blind was en geen idee

had waar de poes zat. Hij keek ook niet, hij wist dat de kat op de kast zat, haar staart om zich heen gekruld, bezig haar vacht te likken of haar nagels scherpend tegen het dak van de kast. De kat stond traag als zijn baas op en sprong van de kast via de tafel de oude in zijn nek. Een flauwe glimlach plooide zijn gezicht, dat daardoor nog meer rimpels kreeg dan het al had.

Ieder jaar, de ballast van herinneringen slinkend, kwamen er meer bij, werd de schedel kleiner en kleiner zodat de huid er als een te ruime jas overheen hing. Zijn ogen waren van een plezierig blauw. Een baardje was zichzelf, half gegroeid, vergeten. Een bruin ouderwets kamerjasje dat houtje-touwtjegewijze was vastgeknoopt hing tot over zijn smalle oudemannenheupen. Hier en daar was het verloren gegane houtje door een takje vervangen. Hij droeg een blauwe werkbroek met merkwaardig nauwe pijpen waardoor de logge zware werkschoenen zijn voeten bedrieglijk groot maakten.

Hij sloeg zijn gekruiste benen van elkaar en nam zwijgend de emmer van zijn vrouw aan, haar lichaam niet opmerkend, alleen denkend aan de kat die hij met zijn vrije hand uit zijn nek tilde en op de tafel zette. Met één sprong keerde het dier naar zijn standplaats terug, waar het behaaglijk ineengedoken naar Göran gluurde, die langzaam voetje voor voetje de deur uit schoof.

Eva had zich omgedraaid en haar hoofd schuddend sloot ze de deur achter hem.

'Hij wordt oud,' mompelde ze. 'Hij wordt te oud. Hij herinnert zich niets meer. God, God, wie had dat kunnen denken. Hij was zo flink altijd.'

Ze veegde haar handen aan haar groene huishoudschort af.

'God, God, misschien overleef ik hem nog. God, God nog aan toe.'

Zo mompelend verdween ze in het keukentje. Even later klonk er gerammel van vaatwerk. Het was het enige geluid in het huisje. De harmonica lag levenloos op tafel. De kat geeuwde, haar snorharen trilden zachtjes.

Zo ging hun leven voorbij, klein en langzaam, op de maat van het ene melancholieke volkswijsje dat Göran zich nog kon herinneren en dat hij uren achtereen speelde, met de rechterhand onhandig over de bruin uitgeslagen ivoren knopjes van het klavier tastend, met de linkerhand monotoon op de basklep duwend – tsjoem, tsjoem. De kat keek het eeuwig zelfde schouwspel met de ogen van een kat aan, niet ouder en wijzer geworden door ervaring, altijd verwonderd en volkomen ongeïnteresseerd. Dat zij nooit naar buiten mocht van Göran, ach, zij had er zich al sinds lang bij neergelegd en was net als Göran zelf de wereld buiten de houten muren bijna vergeten.

Daartussen bewoog het kleine driftige vrouwtje met haar witte haar in een grijs omslagdoekje gebonden als een mier door een verlaten mierennest: haar bedrijvigheid sloeg nergens op en verdronk steeds weer in de eentonige rivier van het liedje dat langzaam op en neer klom in de kamer waar het licht ongezien aan en uit ging tot de dag waarop Göran stierf.

O nee, er was niets bijzonders aan zijn leven, niets opzienbarends aan zijn sterven, waar het woord doodsstrijd ongepast voor zou zijn.

Zijn vrouw zat naast zijn bed. Ze huilde niet. Ze was er te oud voor en bovendien, Göran had al lang geleden afscheid van haar genomen, dacht ze. Het had pijnlijk kunnen zijn voor de harmonica, die onder het bed lag maar die tenslotte maar een harmonica was, of voor de kat, die echter op de kast zat zoals altijd en niets merkte van de naderende dood van haar baas. Ze blies naar een vlieg die brutaal om haar kop zoemde. Göran hoorde het geluid en draaide zijn hoofd op het kussen om. Hij keek in de richting van de kat die zich rustig zat te likken. Daarna keek hij naar zijn vrouw, die op een stoel aan zijn voeteneind sokken zat te stoppen alsof hij die nodig zou hebben, daar.

Zijn stem klonk wat peuteriger, wat moeilijker dan anders alsof zijn keelgat zich langzaam aan het sluiten was.

'Eva,' zei hij, 'laat de kat er niet uit. Nooit!'

Het laatste woord klonk zo doordringend in al zijn zwakte dat Eva opstond en zijn hand in de hare nam. Ze keek hem aan en schudde zwijgend haar hoofd. Ze voelde zich plotseling niet meer zo alleen nu hij haar iets had opgedragen, nu hij haar naam zo duidelijk had genoemd.

Een kwartier later was hij dood. Ze voelde het aan de nauwelijks merkbare siddering die door zijn hand en waarschijnlijk door zijn hele lichaam ging, als de laatste sputterende beweging van een motor zonder benzine. Ze liet de dode hand los, liep naar het raam en schoof het open. Het was een oude gewoonte om de geest van de dode een gemakkelijke uitvaart te bezorgen alhoewel ze zich dat zelf niet bewust was toen ze het groene kwetterende bos in staarde. Opeens flitste een zwarte schaduw langs haar over de vensterbank en zag ze hoe de kat met grote sprongen het bos in rende, zoals een gevangene zijn vrijheid tegemoet rent. Eén ogenblik stond zij versteend, toen holde ze half struikelend haar huisje uit en viel over de drempel. Ze krabbelde in haar oude rokken verward overeind en rende met kleine pasjes het bos in. Over haar grijze voorhoofd liep een zwarte veeg aarde.

'Poes, poes, Göran.'

Het klonk allemaal wat zielig en onbeduidend tussen de statige hoge dennenbomen.

Zo is zij doorgerend tot Sune Jacobson haar aan de rand van zijn akker zag lopen. Hij zette zijn tractor stil waarmee hij diepe vochtige voren in de grond had getrokken en stak met grote passen de stenige akker over. Veel wijs kon hij niet worden uit de verwarde uitroepen van Eva Berndt, die nu zonder tranen huilde terwijl haar korte oude lichaampje beefde. Hij bracht haar naar zijn huis en gaf haar koffie. Het leek alsof de oude vrouw ijlde. Sune trok in gedachten zijn schouders op. Wat had dat te beduiden: 'Göran, ik had het je beloofd en nu is ze weg. Er is niets meer. Waar is de poes. Poes... Poes!' Toch had hij medelijden met het geluidloos verdriet van Eva, die aan tafel zat en krampachtig haar schort tussen haar korte vingertjes verfrommelde. Hij stond op en liep naar de telefoon in de achterkamer.

Een kwartier later stopte de Ford van dominee Andersson op het erf. Als een aasvogel rook hij de dood, het was een onderdeel van zijn beroep. Hij boog zich over het in elkaar gedoken vrouwtje heen en fluisterde haar iets in het oor. Ze knikte flauwtjes. De dominee richtte zich op en draaide zich naar Sune om, die op een afstand had staan toekijken.

'Göran is dood,' zei hij. 'Kom.'

Toen ze bij het huisje aankwamen was het donker. De koplampen van de auto verlichtten het huis onduidelijk, de deur stond nog open. Misschien kwam het daardoor dat het de oude vrouw leek alsof ze de glinsterende ogen van een kat in de deuropening zag bewegen.

De klok

Het was de zomer van de knot wol die niet uit zichzelf de weg wees; van de geblakerde bakkerijschoorsteen die op haar kon vallen; van de kerkklok, roerloos hangend als een omgekeerde emmer in de klokkenstoel, met de spichtige, dofgouden wijzers streng en recht eronder.

Iedere avond gluurde ze in haar nachtpon tussen de gordijnen van de logeerkamer naar de lange wijzer, hoe die naar de twaalf schoof en de korte, even daarna, met een schokje op de zeven terechtkwam. Ze hield haar adem in als de klok begon te schommelen. Eerst log en geluidloos, maar dan, plotseling, met galmende slagen, zo hard dat ze een beetje door haar knieën moest zakken en met haar handen de ronde, witte ringen van de verwarming moest vastpakken om niet weggespoeld te worden door de klok met zijn donkerbronzen geluid dat tot in haar onderbuik doortrilde. Ze telde mee. En dan kwam de laatste, de laatste slag. Daarna was het alsof er een gat in de lucht viel waardoor alles langzaam wegebde, al het plezier en verdriet met heel in de verte het dode matrozenmeisje en haar hoepel, terwijl de klok zelf nog een hele tijd stil bleef naschommelen.

Iedere morgen stak Francis met tante Wil de Dorpsstraat over. Oma zat dan al aangekleed voor het raam op een stoel met een bruin fluwelen kussentje, dat een stukje over de rieten zitting heen stak. Tante Wil liep naar de keuken om ontbijt te maken en koffie te zetten en Francis ging tegenover oma zitten.

Ze keek naar het kleine gezicht vol rimpels en plooitjes en ronde lichtbruine vlekken, naar de grote bruine ogen die ze al een paar keer had proberen na te tekenen, maar dat ging niet omdat het licht van binnen kwam. Ze keek met wiebelende benen en witte, strak opgetrokken kousen naar oma's gezicht. Ze wachtte. Terwijl tante Wil in de keuken het gas onder de fluitketel uitdraaide, wachtte Francis op oma's vraag.

De eerste keer hadden ze allebei om die vraag gelachen. 'Maar ik heb toch *vakantie*,' had Francis geantwoord. En toen had oma gelachen, alsof het een grapje was, een grapje tussen hen tweeën, dat extra leuk werd als je het iedere morgen herhaalde. Als oma lachte liepen er opeens twee diepe plooien van haar neus naar haar kin. Die kon je wel natekenen. Daar kwam het licht van buiten.

Francis bleef zitten terwijl oma haar boterham met kaas at en haar kopje koffie dronk. Een kopje koffie zonder schoteltje. 'Dat maakt niet zo'n la-

16

waai,' zei tante Wil. Zelf kreeg Francis altijd een beker melk. Gelukkig ging tante Wil altijd meteen de kamer weer uit om het huis te doen, zodat ze de witstenen beker stiekem in de gootsteen kon leegkieperen.

Voordat ze ging eten bad oma altijd. Francis bad mee. Bij haar thuis werd nooit gebeden. Ze waren niet katholiek, zoals oma. Daarom hadden ze ook niet van die mooie boeken thuis met platen van Maria en van de heiligen en met van die kleuren waar je een beetje misselijk van werd als je er lang naar keek en die je niet kon namaken met kleurpotlood, zelfs niet als je maar heel zachtjes kleurde en nauwelijks op het papier drukte. Zulke kleuren waren het.

Bidden was prettig. Het gaf haar een licht gevoel in haar hoofd. Ze dacht niet aan God. Dat durfde ze niet goed. Daarom dacht ze aan de zevende zoon van de koning, de jongste, die geen linkerarm had en daarvoor in de plaats een zwanenvleugel aan zijn rug. Dan wilde ze dat de jongste zoon van de koning zijn arm terugkreeg. Maar ze betwijfelde of dat echt zou gebeuren. Dat kon vast alleen maar als je katholiek was. Je kon alles aan God vragen, had oma gezegd, die ook een ketting met houten ronde balletjes had, een rozenkrans heette dat, maar eigenlijk was het een telraam om het bidden te tellen, zodat je kon uitrekenen wanneer je klaar was.

Soms viel oma onder het bidden in slaap. Dan schudde Francis even aan haar arm en gingen oma's ogen weer open. Allebei tegelijk en heel vlug. Het leek soms net als bij een pop, maar oma was geen pop. Dat maakte Francis bij het tekenen juist zo kwaad. Dat alle mensen die zij tekende op poppen leken.

Zolang tante Wil in huis was, bleef Francis tegenover oma aan het raam zitten. Dan vertelde oma haar het sprookje van de zeven zwanen. Er waren natuurlijk andere sprookjes, maar die zomer was de zomer van de zeven zoons van de koning, die door de boze stiefmoeder in zwanen werden veranderd. Behalve het dochtertje, dat zeven jaar moest zwijgen en zeven hemden van madeliefjes moest breien.

Iedere dag vertelde oma het sprookje van de zeven zwanen. Francis bewoog haar lippen met de woorden mee. Dat kon omdat oma zich nooit vergiste. Ze sloeg niets over en veranderde niet steeds de woorden, zoals haar moeder thuis. Ze vertelde het iedere morgen precies hetzelfde. Oma deed alles hetzelfde, iedere dag. Maar dat had ze pas na een tijdje ontdekt. Het was begonnen met de knot wol. En dat kwam weer door het sprookje. Anders zou ze niet zo op de knot zwarte wol in het ebbenhouten bakje op het dressoir gelet hebben. In het sprookje van de zeven zwanen kreeg de koning van een wijze vrouw een knot wol met een 'wonderbare eigenschap', zoals oma zei. 'Wanneer hij namelijk deze knot voor zich uit wierp, wikkelde hij zich vanzelf af en wees hem op die wijze de weg.'

Francis had de knot wel eens mee de tuin in genomen en hem voor zich uit gegooid. Natuurlijk was er niets gebeurd. Ze vond het ook eigenlijk een beetje kinderachtig van zichzelf. Eigenlijk wilde ze zulke dingen, nu ze zes was en naar de grote school zou gaan, niet meer doen. Maar soms was ze zo bang voor de schoorsteen van de bakkerij dat ze het toch deed.

Vroeger was ze nooit bang geweest voor de hoge, beroete schoorsteen, omdat ze dacht dat hij alleen maar op je kon vallen als je langs de bakkerij liep. En dus zorgde ze dat ze daar nooit langs liep. Maar deze zomer had ze op een middag de schoorsteen opeens tussen de populieren in de tuin van de buren ontdekt. Er kwam gelige rook uit en hij kon in de tuin vallen en alles in brand steken. Daarom had ze de knot wol de tuin in gegooid. En zo had ze ontdekt dat oma alles precies hetzelfde deed, iedere dag.

Als haar tante weg was, ging oma zitten breien. Na een tijdje legde ze het breiwerk weer terug in het bakje op het dressoir. Maar de volgende ochtend lag de knot weer helemaal opgerold in het bakje. Dat had Francis op een morgen ontdekt.

Ze had het tegen oma gezegd, maar die had alleen maar tegen haar gelachen en weer gevraagd of ze nog niet naar school moest. En toen had Francis meer gezien, steeds meer dingen ontdekt. Dingen die ze niet begreep. Eerst niet tenminste.

Ze had ontdekt dat oma de krant las en een uurtje later nog een keer, bladzij voor bladzij, en ook de advertenties. Dat ze altijd hetzelfde wandelingetje over de leistenen tegels door de tuin maakte, langs de bloembedden en de perenboom, tot aan haar stoel, die tegen de groene schuurdeur stond. Daar bleef ze dan zitten tot het tijd voor het middageten was en bekeek het ansichtkaartenalbum, dat Francis voor haar moest halen. Ze vertelde over de Sint-Jan in 's-Hertogenbosch, waar ze als meisje geweest was, en over Luxemburg, waar echte bergen waren, en dat in Spa overal water uit de grond kwam in grote fonteinen, wat goed was de gezondheid. Iedere dag vertelde ze dat, met het zware wijnrode album op haar schoot. En ze vertelde het precies hetzelfde, met dezelfde woorden, net als het sprookje van de zeven zwanen.

Die ontdekking had Francis bang gemaakt. Een sprookje moest altijd hetzelfde zijn, maar al het andere moest daarom juist steeds veranderen. Sprookjes en poppen waren niet echt. Daarom veranderden ze ook niet. Dat was het leuke.

Maar als oma steeds hetzelfde deed en iedere keer vroeg of ze niet naar school moest, dan was dat helemaal niet leuk. Dat was verschrikkelijk.

Francis durfde het niet tegen tante Wil te zeggen, die iedere ochtend boodschappen uitpakte, de krant opgevouwen op het ronde tafeltje naast oma's stoel legde en opgewekt tegen haar praatte alsof er niets gebeurd was. Misschien wist tante Wil het nog niet. Omdat ze altijd zo'n haast had, had zij het misschien nog niet gemerkt. Daarom moest Francis zelf een oplossing zoeken.

Eerst probeerde ze in de tuin een hemd van madeliefjes te maken, maar dat viel iedere keer weer uit elkaar. Toen maakte ze een tekening van oma en schreef eronder: *echt*. Maar dat hielp niet. Wat vorig jaar nog geholpen zou hebben, hielp nu niet meer. Toen begreep ze het. En toen ze het begreep, had ze ook de oplossing gevonden.

'Moet je niet naar school?'

De ogen kropen tot rimpelige spleetjes dicht, maar deze keer lachte Francis niet mee. Ze schudde alleen maar kort haar hoofd. Ze had nog één dag. Dan zou oom Cor haar naar huis brengen. Dan zou de vakantie voorbij zijn. Daarom wiebelde ze nog erger met haar benen dan anders, zodat de koperen gespen op haar schoenen soms even blikkerden, en luisterde ze nauwelijks naar het sprookje. Alleen het einde hoorde ze omdat tante Wil toen binnenkwam. 'En toen die hen aanraakten, vielen aanstonds de zwanenhuiden af en stonden haar broers levend, gezond en stralend voor haar, de jongste miste alleen de linkerarm, en had daarvoor in de plaats een zwanenvleugel aan de rug.'

Ze schudde haar hoofd tegen de stenen beker. Ik wil geen melk. Maar het is zo gezond. Ik wil niet. Dan drink je het straks maar op. Tante Wil zette de beker op het tafelkleed. Francis wachtte tot ze de kamer uit was. Oma sloot haar ogen.

Op haar tenen sloop ze naar het dressoir, nam de knot wol uit het bakje en hurkte voor de onderste la. Daar lagen servetten en servetringen in, die ze vroeger wel eens gebruikt had om koningin mee te spelen. Vroeger, toen ze nog vijf was. Nu was ze zes en ze had nog één dag. Over haar schouder keek ze naar oma, die met de kin op haar borst gezakt voor het raam zat. Toen stopte ze de knot wol onder de servetten en schoof de la weer dicht. Ze liep naar het raam en keek naar het slapende, scheefgezakte hoofd, het vel in de hals, dat vol plooien en pukkeltjes zat, zoals ze het wel eens bij een kip in de etalage van de poelier had gezien. De gevouwen, vlekkerige handen waren op haar schoot uit elkaar gegleden. Toen ze oma's arm aanraakte, rilde ze even, en haar tenen in haar platte schoenen kromden zich helemaal vanzelf. Ze keek hoe oma's ogen openknip-

22

ten en haar aankeken alsof ze helemaal niet geslapen hadden, en hoe de dunne, paarsige lippen de vraag wilden stellen. Maar deze keer was Francis haar voor. Ze wees op het dampende koffiekopje en het bordje met de doormidden gesneden boterham met kaas.

Ze ging weer zitten, haar hakken achter de onderste sport van de stoel, en keek hoe oma een paar bibberende slokjes van de koffie nam, het kopje op het ronde tafeltje naast zich zette en toen een helft van de boterham met kaas in de koffie sopte. Ze nam een hap, en een stukje van het brood met de nu donkergeel glanzende kaas bleef op haar kin hangen. Met een kromme pink schoof ze het haar mond binnen.

Francis zat met haar hakken achter de stoelsport geklemd te wachten tot oma klaar was met eten. Toen pakte ze snel het bord en het lege kopje en liep ermee naar de keuken. Boven hoorde ze hoe haar tante de slee van de stofzuiger over een drempel trok. Er kwam nooit meer iemand op de bovenverdieping, maar toch ging tante er iedere dag stofzuigen.

Ze liet het bord en het kopje in het afwasteiltje glijden en liep terug naar de deur. Voorzichtig keek ze om de hoek.

Oma stond in haar donkerblauwe japon voor het dressoir. Haar ene hand lag in het lege, ebbenhouten bakje, met de andere schikte ze een losgeraakte lok van haar grijze haar op zijn plaats. Haar lippen bewogen. Ze keek naar het bakje. Toen riep ze om tante Wil.

Francis was al op de trap, roffelde naar boven en riep de naam van haar tante boven het geluid van de stofzuiger uit dat nu jankend wegstierf.

'Er is toch niets?' Tante Wil wreef haar pezige, lange handen een paar keer langs haar jurk en ging de trap af. Francis liep achter haar. Ze was zes en met twee treden ertussen was ze steeds eventjes bijna net zo groot als haar tante.

Oma stond nog steeds bij het dressoir. Alsof ze daar niet meer weg kon.

'Mijn wol, mijn wol is weg, Wil.'

Francis keek naar het gezicht van tante Wil, dat plotseling helemaal rood werd. Net zo rood bijna als haar knokkels. 'Hoe kan dat nou?' Ze stotterde een beetje. 'Francis, heb jij die knot wol niet ergens zien liggen?'

Francis schudde haar hoofd. Zij kreeg geen rood gezicht. Dat kon ze voelen. Vroeger kreeg ze altijd een rood en gloeiend gezicht als ze loog, toen ze vijf was, maar nu niet meer.

Haar tante trok snel een paar laden open, keek in een kast en hield toen plotseling op met zoeken. 'Ik breng zo wel een andere knot,' zei ze en liep de kamer uit.

Oma stond nog steeds voor het dressoir. Ze was klein, een beetje voorovergebogen, en haar lippen bewogen terwijl ze naar het lege, gladde bakje keek. Francis pakte haar arm. 'Laten we in de tuin gaan wandelen, oma.'

Francis moest zelf ook heel kleine pasjes maken om naast oma te kunnen blijven. Bij iedere stap drukte ze haar wreef omhoog, zodat ze eventjes op de punt van haar schoen stond. Bij de keukendeur wachtte ze tot oma, voorzichtig de deurpost vasthoudend, eerst haar ene en toen haar andere been over de keukendrempel had getild.

Francis liep achter haar over de tegels langs de bedden met goudsbloemen, duizendschoon en de grote, ronde zonnebloemen, die zachtjes stonden te wiegelen op hun dikke stelen. Toen kwam ze naast oma lopen en wees op de roestrode schoorsteenpijp tussen de populieren.

'Vroeger was ik bang voor die schoorsteen,' zei ze. 'Ik was bang dat hij op mij zou vallen. Maar je hoeft niet bang te zijn, want een schoorsteen blijft altijd op zijn plaats.' Ze herhaalde het nog een keer, terwijl ze naar de schoorsteen bleef kijken. 'Je hoeft niet bang te zijn, want een schoorsteen blijft altijd op zijn plaats.'

'Ik heb het koud.' Oma sloeg haar magere armen gekruist over haar borst. Ze had een hoge stem en ze keek angstig om zich heen, alsof ze op de stoep stond en over moest steken.

'Zal ik uw vest halen?'

'Ik wil naar binnen.'

Francis liep van haar weg, steeds verder de tuin in, tot ze ten slotte vlak bij de schutting met beide handen in harde, groene peren stond te knijpen. In de herfstvakantie kwam oom Cor altijd met een tas stoofperen. Ze hield er niet van. Aardappelen en stoofperen. Als je daar tegelijk een hap van nam. Ook nu kreeg ze weer kippenvel.

Ze keerde zich langzaam op haar tenen draaiend om. Oma zat voor de helgroen geschilderde schuurdeur op haar stoel. Het was een zwarte stoel met een bolle, leren zitting, die zuchtte als je erop ging zitten. Ook de leuningen waren met leer bekleed. De zon scheen in oma's gezicht. Zo nu en dan bewoog een lok van haar haar. Haar kromme handen lagen in haar schoot, en ze keek recht voor zich uit. Toen zag Francis tante Wil door de keukendeur de tuin in komen. In haar hand hield ze een rode knot wol.

Oma schudde haar hoofd. 'Dat is een andere knot,' zei ze. 'Ik wil geen rode wol. Ik wil mijn zwarte wol terug.'

'Ik zal morgen een zwarte knot voor je kopen, moeder,' zei tante Wil. Haar stem klonk ongeduldig, net als soms aan de telefoon.

'Morgen, morgen,' mopperde oma, 'dat zeg je altijd. Jullie zitten maar koffie te drinken en ik krijg niks.'

'Maar moeder, je hebt net koffie gehad.'

'Daar weet ik niets van.'

'Wil je de krant?'

'Die heb ik al gelezen.'

'Maar de krant van vandaag toch nog niet?'

'Ik wil geen krant. Ik wil koffie.'

Tante Wil zuchtte, trok haar schouders op en liep terug naar de keuken.

Francis kwam met lange, sluipende passen dichterbij.

'Er ís geen krant,' zei ze opeens.

Oma keek op en lachte. 'Dag kind, moet je niet naar school?'

Francis deed een sprong in de lucht, een balletsprong. Met gespreide armen en benen en haar hoofd helemaal achter in haar nek. Toen ze weer op de grond stond, zei ze: 'Het is zondag vandaag. Daarom is er geen krant.'

Oma hief haar hoofd op. Het leek alsof ze luisterde. 'Hoe laat is het dan?'

Tante Wil kwam met een kopje koffie voorzichtig over het tegelpad. 'Hier is koffie,' zei ze. 'Maar pas op dat je niet morst.'

Tante Wil had altijd haast. Ze had het altijd druk. En je kreeg nooit meer dan één plakje kaas op je brood. En geen snoepjes. Die vergat ze altijd mee te nemen, zei ze. Ze vertelde nooit. Dat deed oom Cor. Hij las voor uit een boek over reuzen, maar aan zijn stem kon je horen dat hij niet luisterde naar wat hij vertelde. Meestal hield hij midden in een verhaal op, keek op zijn horloge en sloeg het boek dan met een klap dicht. Dan was het kwart voor zeven.

'Hoe laat is het?'

Tante Wil keek op haar horloge. 'Half twaalf alweer. En ik moet nog naar de slager.'

Francis keek naar oma's gezicht. Ze voelde hoe haar eigen gezicht vochtig en warm werd.

'Oma, zullen we een spelletje doen?'

Ze wipte op haar tenen voor de stoel op en neer. 'Ik doe iemand na en jij moet raden wat voor beroep het is.'

'Wat is de klok laat vandaag,' zei oma.

'Zullen we een spelletje doen, oma?'

Ze schudde haar hoofd. 'Ik moet bidden,' zei ze. 'Het is zondag en ik was het bijna vergeten. Ga mijn rozenkrans halen, Francis.'

Francis knikte. Met gebogen hoofd slenterde ze naar de keukendeur. Ze beet op haar lippen. Het was moeilijk en ze had nog maar zo weinig tijd. Morgen was de vakantie voorbij. Morgen zou oom Cor haar met de auto thuisbrengen. Dan begon de grote school, waar ze zo naar verlangd had, maar waar ze nu met een knijpend gevoel in haar buik aan dacht.

Ze ging de huiskamer in. Voor het ronde tafeltje bleef ze staan. Ze pakte de rozenkrans van tafel en wreef de houten balletjes tussen haar vingers rond. Oma dacht dat het zondag was. Ze had luisterend omhooggekeken. Ze wachtte op het geluid van de klok. Francis draaide de bolletjes van de rozenkrans tussen haar vingers rond en fronste haar wenkbrauwen. Ze dacht na.

Het was moeilijk. Je moest niet alleen onthouden wat er gebeurd was, maar ook wat je gezegd had. Dat was niet hetzelfde. Als tante Wil oma straks met de rozenkrans in de tuin zou zien zitten, zou het uitkomen. Het verschil tussen wat waar was en wat zij gezegd had. Daarom draaide ze zich om, bukte voor het dressoir en stopte de rozenkrans vlug naast de knot wol onder de servetten.

Ze ging voor het achterraam staan en keek de tuin in. Haar handpalmen waren vochtig.

Oma was opgestaan en liep nu over de tegels langs de bloemen. Zo nu en dan bleef ze staan en hief haar hoofd luisterend omhoog. Het woei. Haar donkerblauwe japon fladderde tegen haar zwarte kousenbenen aan. Oma was oud, zevenentachtig. Ze stond in de tuin te luisteren naar iets wat niet zou komen. Op de grote leistenen tegels leek ze nog kleiner dan binnen op haar stoel voor het raam. Weer bleef ze staan en luisterde. Francis rende de tuin in.

'Oma,' riep ze. Ze hijgde. 'Oma, de klok is stuk, maar hij wordt gemaakt. Heel vlug. Ik heb het net in de krant gelezen.'

Oma keek haar aan. Buiten leken haar ogen

lichter van kleur, met allemaal donkere puntjes en van die kleine, rode streepjes door het wit, die net zo kronkelden als op een landkaart.

'God heeft het zo beschikt, kind,' zei oma. 'Hij weet alles, hij ziet alles en hij neemt ons allen tot zich.'

Francis keek haar aan. Wat bedoelde ze? Oma was katholiek. De bruine ogen met de donkere puntjes en de rode kronkelweggetjes lachten vriendelijk naar haar. Het was moeilijk. Je moest op je woorden letten, dat had ze haar vader wel eens horen zeggen, maar dat kon ze nog niet. Hij weet alles, hij ziet alles. Ze keek aandachtig in het oude gezicht.

's Middags sliep oma. Meestal ging Francis dan plaatjes zitten kijken of tekenen in de huiskamer, die een beetje donker en versleten was en waar het net zo rook als in de scheepskist met oude kleren, thuis op zolder. Op het bureau bij het zij-raam stonden ronde portretjes van ernstige, be-snorde mannen die tegen witte krulpilaren leun-den, en vrouwen in lange sleepjurken met kin-deren ernaast die eruitzagen als hele kleine gro-te mensen. En dan was er het fotootje van het meisje, helemaal links en bruiner nog dan de an-dere foto's. Dat was het zusje van oma. Ze was heel jong gestorven. Ze droeg een gestreept ma-trozenjurkje en een witte baret met lange linten tot op haar haar, dat in pijpenkrullen over haar schouders viel. Met één hand hield ze een hoepel vast en ze keek je niet aan op haar zwarte rijglaarsjes, maar net langs je heen, alsof ze al wist dat ze gauw dood zou gaan. Francis had vaak naar het stille meisje gekeken. Ze was zelfs wel eens onder tafel gaan liggen met haar handen over haar borst gevouwen en haar ogen stijf dichtgeknepen.

Maar die middag tekende ze niet. Ze had geen boek meegenomen en ze keek niet naar de ansichten in het wijnrode album met de gouden letters, dat op het bureau lag. Ze wachtte tot tante Wil oma naar de slaapkamer had gebracht en naar huis was.

Toen liep ze naar het dressoir, ging op haar hurken zitten en trok de onderste la open. Het was de laatste middag van de grote vakantie en ze had nog maar weinig tijd. Het was moeilijk en als je dingen verborgen had, moesten ze ook verdwijnen, nooit meer tevoorschijn komen. Daarom moest ze de knot wol en de rozenkrans in de tuin begraven. Ze stond op. In haar ene hand hield ze de zachte knot zwarte wol, in de andere bungelde de rozenkrans. En toen ging de slaapkamerdeur open.

Oma leek, in haar lange, witte nachthemd en het uitgekamde, grijze haar, op een van de vrouwen van de foto's.

'Ik heb hem gevonden.' Francis drukte de knot wol in oma's handen, zo hard dat de bolletjes van de rozenkrans in haar andere hand tegen elkaar tikten. 'En de rozenkrans.'

Oma's ogen keken naar de knot wol en naar de rozenkrans, die er slordig overheen hing. Haar hoofd wiegde heen en weer en ze begon te lachen. Ze zei niets, maar ze lachte. En toen begon ze te lopen, op blote voeten, veel vlugger dan anders. Alsof ze plotseling, net als tante Wil, ook haast had. En Francis liep achter haar aan, de tuin in, over de tegels. En toen begon oma, haar armen omhoog fladderend, te zingen, heel dun en zo hoog dat de buurvrouw uit haar bovenraam kwam hangen. Francis wuifde naar haar. Ze kon niet verstaan wat oma zong, maar het was iets uit de kerk, een katholieke melodie, dat kon je horen. Oma liep op haar blote voeten naar de leren stoel voor de schuurdeur en ging zitten. De zon scheen en de knot wol rolde van haar schoot en viel op het kortgeknipte gras. Ze hield de rozenkrans tussen haar gebogen vingers en ze zong.

Toen sprong Francis. Ze spreidde haar armen. Ze zweefde. Op de laatste dag van de vakantie zweefde ze als een ballerina door de tuin.

De zon vonkte in het raam van de buurvrouw, en oma zong. Het was gelukt. Oma was weer echt, en later wilde ze danseres worden.

Die avond bleef tante Wil bij oma slapen. Oom Cor zei dat hij geen tijd had om voor te lezen. Hij zat almaar zijn bril op te poetsen aan zijn bureau in de achterkamer. Hij schreef en hij telefoneerde. Het leek alsof ze haar vergeten waren.

Met opgetrokken knieën zat Francis in een stoel voor het raam aan een korstje op haar knie te peuteren. Twee bakkers kwamen ratelend met hun lege karren voorbij. In de achterkamer praatte oom Cor met iemand door de telefoon. Toen ze opstond, gebaarde hij, met de hoorn tegen zijn oor gedrukt, dat ze naar bed moest. Ze ging de kamer uit.

Ze schudde haar hoofd op het dikke kussen heen en weer. Eerst zachtjes en toen steeds harder, zodat de zijkanten van het kussen bol gingen staan en tegen haar wangen drukten. Nee, ze begrepen het niet. Eerst deed oma steeds hetzelfde. Daarom had zij de knot wol en de rozenkrans verstopt. Eerst leek oma een kind dat altijd hetzelfde doet omdat het altijd hetzelfde wil.

Het was de laatste avond. Tante Wil was bij oma en oom Cor zat beneden te schrijven en te telefoneren. Ze hadden te veel haast. Daarom begrepen ze het niet.

Door het open raam hoorde ze het geruisel van de populieren. Ze stond op en liep naar het raam. Haar voeten plakten aan het zeil. Ze schoof het gordijn opzij en keek naar de stille, donkere klok

33

in de klokkenstoel. De zon was weg, maar het was nog licht buiten. De huizen en de bomen, de gemetselde, hoge schoorsteen van de bakkerij, ze stonden stil; heel stil en duidelijk. Je zou de stenen kunnen tellen. En toch leken ze vreemd en ver weg, als op een ansichtkaart. Alles was stil. Het enige wat ze hoorde, waren de populieren. Straks zou de klok gaan luiden. Ze voelde de avondlucht door haar nachtpon op haar borst. De lange, puntige wijzer stond bijna op de twaalf. Ze zakte een beetje door haar knieën en greep de ringen van de verwarming vast.

Hondendromen

Een moment had hij overwogen het hondje Coortje te noemen.

Die naam had hij op een avond op de kermis van Middenbeemster bedacht, bijna vijfendertig jaar geleden. Cora de Man uit Noord-Scharwou, die almaar in het rad wilde en zuurstokken eten, heette vanaf die avond Coortje. Later Ma. Zo ging dat.

Hij was blij dat hij het niet gedaan had. In zeven jaar was een laag-bij-de-gronds rondscharrelend hondje uitgegroeid tot een forse herder die tot aan zijn heup kwam. In zeven jaar was het alles dichtschroeiende verdriet veranderd in gelaten gemis en daarna in herinnering. En in die herinnering bewaarde hij het beeld van Coortje op de kermis van Middenbeemster, op hoge, witte benen in een lichtblauwe nopjesjurk, een beetje hangend aan zijn arm rondstappend tussen de kramen en de tenten, als onder een stille, glazen stolp.

Hij was blij dat hij het niet gedaan had. Na zeven jaar begreep hij dat het dagelijks hardop noemen van die naam zijn stille, kleine herinneringen aan haar onmogelijk zou hebben gemaakt.

De hond heette Betty. Het was een wijfje, een vrouwelijke herdershond.

Ja, in zeven jaar was er veel veranderd, ook tussen hem en de hond. In het begin scharrelde Betty door het hele huis, verstopte zich in een kast, hobbelde onhandig de trap op en af, altijd bezig en rondsnuffelend. Maar na een maand of vier leek haar nieuwsgierigheid uitgewoed. Sindsdien volgde ze hem overal, waar hij ook ging. Toen had hij de bovenverdieping en de voorkamer afgesloten. Hij woonde nu alleen nog achter en sliep op het bruine divanbed bij de tv. Behalve in de keuken, de gang en de achterkamer kwam hij nergens meer. Hij had zich teruggetrokken in de achterkamer, en het tikken van de klok onderstreepte de stilte van zijn herinnering. Of stilte. Het was meer de afwezigheid van geluid. 's Nachts merkte hij wel eens dat hij lag te luisteren. Maar waarnaar? Dat wist hij niet. Hij sliep slecht. Hij was naar de dokter geweest en die had het prikkende, slapende gevoel in zijn benen een ouderdomskwaal genoemd. Pillen voor de bloedsomloop had hij gekregen. Veel hielp het niet. Als hij in bed lag, hielden duizenden speldenprikjes hem wakker. En Betty. Sinds kort ook Betty. Hij begreep niet hoe het kwam.

Toen het prikken in zijn benen was begonnen en de dokter had gezegd dat het een ouderdomskwaal was, was hij zichzelf gaan bekijken. In de spiegel, in etalageruiten, in de vijver van het park. Tot dan toe had hij zichzelf nooit als een oude man gezien, en nu stond er plotseling een lange, schrale oude man voor hem, met neerhangende schouders, plooien in hals en wangen, een vlekkerig, bol gezicht met dunne lippen, knipperende, waterblauwe ogen en een neus zo scherp dat hij ervan schrok. Een oude man die prikkende benen had en die op zijn tellen moest passen, wilde hij niet in een tehuis terechtkomen. Hij moest voorzichtiger worden, niet meer zoveel lopen. Daarom had hij er Betty de laatste tijd nogal eens alleen uitgelaten. Misschien was het daardoor gekomen. Dat de hond te veel alleen was.

Een paar nachten geleden was het begonnen. Hij lag in bed en kon niet slapen. Zoals gewoonlijk. Die verdomde benen die je altijd bij je had. En het luisteren.

Hij lag met zijn hoofd op het zachte kussen naar het plafond te staren, het stille, gesloten huis om hem heen. Toen was het begonnen. Geschuifel in de rieten mand bij de deur en daarna heel even een kort, diep gejank. De hond bewoog. Een tijdje was het stil gebleven, maar toen was het weer begonnen. Hij had het nachtlampje naast de divan aangeknipt, maar Betty kwam niet uit haar mand. Ze sliep en uit haar half openhangende bek stootte ze klagende, piepende geluiden. Zo nu en

37

dan trok er een rilling door de lichtbruine vacht, de tenen spreidden zich. Hij zat voorovergebogen op de rand van de divan en keek naar een dromende hond.

Betty droomde. Dat was het. En de stilte tussen het gejank in, de stilte die eigenlijk geen stilte was maar iets anders, was steeds zwaarder geworden, drukkender. Hij had het lampje weer uitgedaan en had de dekens over zich heen getrokken.

Sinds die nacht was alles veranderd. De stilte was toegenomen en stond groot en zwijgend over hem heen. Hij luisterde naar het dromen van de hond en hij was bang. De angst was vaag en laf, nestelde zich in zijn maagstreek en in zijn hoofd. De eens heldere reeks beelden, die hij gekoesterd had, die hij iedere slapeloze nacht aan zich voorbij had laten trekken als een onbereikbaar ver maar haarscherp fotoalbum, verdween, loste op in de angst en het luisteren naar de hond in de mand. En opnieuw kwam hij zichzelf overdag in spiegels en etalageruiten tegen.

Toen besloot hij dat de hond weg moest. Maar hoe. Als hij opstond om naar de keuken te gaan, volgden de ogen van de hond hem. Zo gauw hij de kamer uit was, hoorde hij het getik van haar nagels op het zeil. Als hij haar 's morgens de deur uit stuurde, kwam ze na een tijdje uit zichzelf weer terug. Zo waren honden nu eenmaal. Trouw als je eigen schaduw.

Zeven jaar had hij haar gehad. Vanaf dat ze een klein, melk slobberend hondje was geweest dat door alle kinderen uit de straat werd aangehaald.

Nog twee nachten luisterde hij naar het jankende geluid dat van heel diep uit het lijf van de hond leek te komen en dat niets met angst of verdriet te maken had, maar wel met iets anders. Soms kwamen de haren van de hond plotseling overeind, alsof ze iets angstaanjagends zag.

Hij belde vanuit een telefooncel op. Ze kwamen haar diezelfde dag nog halen. Twee mannen in een muisgrijze stationcar. De een had een stofjas aan, de ander een zwart uniformjasje op een gewone broek. Hij moest iets tekenen. We zullen ons best doen, zei de man met de stofjas ongevraagd. Maar ja, zeven jaar. De mensen hebben liever een jonge hond, begrijpt u wel? Hij knikte. Betty was een vriendelijke hond. Ze ging kwispelstaartend en gewillig met de mannen mee.

Hij was alleen en hij deed dingen. Hij zette de mand met de blauwe deken in een kast, gooide de pakken hondenbrood in de vuilnisbak en maakte met zijn prikkende benen wandelingetjes die steeds korter en onzekerder werden. Waarom wandelde hij, waar naartoe? Hij besefte dat hij steeds de hond achternagelopen was. Dat het Betty was geweest en niet hij, die naar het park wilde of naar de markt.

Toen kwam de nacht. Tot laat in de avond had hij naar de televisie gekeken, het laatste programma, een forum, met het geluid af. Daarna het ritueel van gewoontehandelingen voor het slapen gaan. Kopje en schoteltje in het gele plastic teiltje in de keuken gezet, pilletje ingenomen, zijn gebit in een glas water gelegd.

Hij lag op zijn rug in het donker, alleen in de achterkamer van het lege huis. Hij luisterde en voor het eerst waren er weer echte geluiden. Een kraan die even piepend liep, een brommer, een meisjesstem die iets riep vanuit een tuin. Hij glimlachte. Het huis om hem heen was licht en doorzichtig. De stilte, als van een beest dat zijn adem inhoudt, was verdwenen. Hij draaide zich op zijn zij. Hij was een oude man maar hij wist dat hij nu slapen kon. Ook de beelden waren verdwenen, voorgoed misschien wel. De kermis van Middenbeemster, Coortje op haar hoge benen, ze kwamen niet meer terug. Het was alsof de hond alles had meegenomen.

Hij was een man zonder hond, zonder iets, en zo liep hij ook door de stad. Zijn benen prikten maar hij zocht niet langer naar zijn beeltenis in etalageramen. Hij liep langs singels en grachten, at een kroket en dronk een glas bier in een koffiehuis waar het glaswerk rinkelde en een kanarie in een kooitje heen en weer wipte op zijn stokje en iedere keer als de deur openging even zong. Het was een dag in april en lang zou het niet meer duren of het eerste groen zou in de bomen verschijnen, plotseling en zo hier en daar maar, zodat je nóg eens moest kijken of je het je niet verbeeld had.

Hij was een man in een stad en er viel veel te zien. Hij praatte met niemand, maar toch had hij het gevoel alsof hij met iedereen gesproken had. Hij zag meisjes op bruggen lopen, achter wandelwagentjes of hangend aan de arm van een jongen, en voor het eerst sinds die zeven jaar zag hij ze weer zoals ze waren: mooi en onbereikbaar, ter opluistering van het beeld dat een oude man, wandelend door de stad, werd aangeboden, helemaal gratis en voor niks.

Hij kwam in buurten waar hij met Betty nooit geweest was, zag de kantoormannetjes tot wie hij zelf eens behoord had, dringen op de tramhaltes om zo gauw mogelijk thuis te zijn.

Hij had het gevoel dat hij geen huis meer had. Dat alles een herinnering was die hij al wandelend bezig was te vergeten, en dat hij door moest lopen op zijn prikkende benen, maar wat konden die hem tenslotte verdommen. En zo kwam hij, overmoedig en toch ook een beetje moe, uiteindelijk weer op bekend terrein en scharrelde zo'n beetje op huis aan in de ondergaande zon en de opkomende kilte, die hem voor het eerst aan zoiets als een jas deed denken. Door de nog kale bomen kon hij de hoge huizenblokken die het park omringden, zien. Achter sommige ramen brandde al licht. De wolken dreven kalkachtig grijs in de al wat donkerder wordende hemel voorbij, en in de vijvers dobberden bruine eenden die ook moe leken van zo'n hele dag. Iemand had op een gazon een torentje van lege bierblikjes achtergelaten, een keurig opgevouwen krant stak uit een gele papierbak, net een brievenbus.

Toen zag hij het ronde, betegelde rolschaatsbaantje en de rolschaatsen. Hij had vaak genoeg op een van de bankjes bij het baantje gezeten en gekeken naar de kinderen die almaar in de ronte draaiden, botsten, vielen of pootje-over deden. Maar nu waren de kinderen verdwenen. Hij liep naar de rand van het baantje, bukte zich en tilde de rolschaatsen aan de rode riempjes op. Hij keek om zich heen, naar de huizenblokken, waar nu steeds meer ramen verlicht werden door schemerlampen en plafonnières. Met de rolschaatsen in zijn hand ging hij op een van de banken zitten.

Voorovergebogen paste hij ze aan. Hij draaide de schroeven aan de onderkant voorzichtig los, schoof de ijzeren voet van de schaatsen wat verder uit. Nu pasten ze. Hij draaide de schroeven vast en trok de rode riempjes over de neuzen van zijn stoffige zwarte schoenen aan. Met één hand steun zoekend aan de leuning van de bank kwam hij overeind en scharrelde toen voetje voor voetje over het gras naar de rand van de baan. Voorzichtig zette hij eerst een been, toen het andere op de roestrode tegels. Hij spreidde zijn armen en bleef even roerloos aan de rand staan. Toen maakte hij stram, met één been, de schaatsbeweging uit een ver verleden.

En het ging! Als een wonder kwam alles terug. Zijn benen gehoorzaamden een oud patroon. Hij legde een hand op zijn rug, en langzaam, heel langzaam trok hij een rondje in de avond. De mond in zijn kale, grijze gezicht lachte. Zijn ogen draaiden langs de doorzichtige bomen en de schemerlampen van de huizen erachter. Hij kon het nog. Wat hij niet afgereden had vroeger. Op de sloten van de Beemster of over de Gouwzee naar Marken en Volendam. Alleen of met een heel stel aan een stok. Gekruist met Coortje.

Misschien had hij zijn evenwicht kunnen bewaren als hij zijn armen niet op zo'n vreemde manier gekruist opzij van zijn lichaam had gehouden.

Nu was hij weerloos tegen de donkere schaduw die in twee reusachtige sprongen van achter een bosje bij hem was.

De bomen

Het lawaai op het kruispunt – het donkere, ruige optrekken van de vrachtwagens bij de stoplichten, alleen nog overstemd door de venijnige brommers van die jongelui – leek wel op ieder portaal steeds luider te worden. Ze zette de boodschappentas op een leeg plantentafeltje van de buren en keek door het glas-in-loodraampje van het trappenhuis naar mensen op de vluchtheuvel beneden. Ze zag hun monden bewegen, een kind met een geel, gebreid mutsje op de arm van zijn moeder, blèrend met wijdopen, roze mond.

Het hijgen werd minder. Langzaam voelde ze het prikkende en schrijnende gevoel uit haar borstkas wegzakken. Ze tilde de bruine tas van het plantentafeltje. Hij was zwaar. Boodschappen voor twee dagen, zaterdag en zondag.

Toen ze boven was, liet ze de tas op de bovenste tree zakken, haalde haar sleutel uit haar mantelzak en stak hem in het slot. Auto's remden. Het licht was op rood gesprongen. Zo ging dat. De hele dag door. Ze sloot de deur achter zich.

Op het gangetje was het stiller. Ze zag zichzelf in de kleine, ronde kapstokspiegel voorbijkomen, bijna zonder dat ze er acht op sloeg. Ze dacht aan Manuel. Of liever gezegd, ze dacht zijn naam. Manuel. Manu-el. Terwijl ze met de boodschappentas naar de keuken liep, herhaalde ze de naam voor zichzelf. Manuel. Haar man. Manuel. Vijfenveertig jaar haar man. Manuel. Zijn tranende ogen, alsof ze te moe of te ontstoken waren om te kijken. Manuel. Zijn verschijning in de paars gestreepte pyjama, stilletjes rondscharrelend op zijn leren pantoffels. Ze hees de tas met een zucht van inspanning op de stenen aanrecht.

Waarom nam iemand op een ochtend het besluit om zich niet meer aan te kleden? Kon je dat een besluit noemen? Ze hing de mantel aan de kapstok en wreef met haar ene hand over de pijnlijke striemen die de tas in de vingers van haar rechterhand had achtergelaten. Voor de spiegel schikte ze met een plotseling licht en snel gebaartje even met beide handen aan haar dunne, grijze haar; een gebaartje van vroeger leek het wel, toen ze nog jong was, bruin, glanzend haar had en aan andere dingen dacht als ze een trap af liep.

Voor de crèmekleurige huiskamerdeur bleef ze staan. Ze had haar hand al op de zwarte deurkruk en toch bleef ze staan. Ze luisterde, maar behalve geluiden van auto's en trams hoorde ze niets. Wanneer was ze voor het laatst bang geweest? Die lindegroene japon paste eigenlijk niet bij haar glimmende, zwarte schoenen. Ze ging naar binnen.

Haar ogen vonden hem meteen, als een vertrouwd voorwerp op zijn vaste plaats in de kamer. Hij zat in de leunstoel en keek langs de plooien van het opengeschoven gordijn naar buiten, naar het kruispunt beneden hem. Hij keek niet op toen ze binnenkwam, maar aan zijn plotseling gespannen rug in het gestreepte pyjamajasje, de lange, benige vingers die de houten leuningen omklemden, zag ze dat hij iemand had horen binnenkomen.

Ze ging tegenover hem zitten. Even keek ze met hem mee, naar het verkeer. Het was nazomer, de mensen liepen nog zonder jas. Toch kon ze de ramen niet opendoen. Ze had het wel eens geprobeerd, maar het lawaai van het verkeer was zo overdonderend dat je elkaar niet kon verstaan. Geen woord. Een grijns schoot opeens tussen de witte en zwarte stoppels op zijn wangen tevoorschijn. Ze glimlachte terug. 'Mooi uitzicht,' zei hij voldaan. Ze knikte.

Ze stond op, liep naar de keuken en begon de boodschappen uit te pakken. Werd alles steeds zwaarder, door de verpakking, of leek dat maar zo? Door het keukenraam keek ze tegen de smalle kruinen van een paar bomen aan, populieren. Ertussendoor zag je hier en daar stukjes van de witte, houten balkons aan de overkant. Ze legde de andijvie en sla onder in de ijskast, spreidde een krant op de keukentafel en begon aardappels te schillen. Ze keek uit het raam. Ze luisterde.

Hij was opgestaan maar had zich niet willen aankleden. Ze had gevraagd of hij soms ziek was. Hij had haar geen antwoord gegeven. Haar alleen maar aangestaard met zijn zwemmende ogen. Om half elf had ze koffiegezet, zijn kopje tegenover het hare op de keukentafel, zoals altijd. Ze had zijn naam geroepen, maar hij was niet gekomen. Ze was naar de kamer gegaan. Daar zat hij voor het raam naar buiten te kijken, net als nu. Ik heb koffie, had ze gezegd. Ze was teruggelopen en had haar koffie gedronken, op hem gewacht. Eindelijk was hij gekomen, stil, bijna sluipend, een manier die ze van hem niet gewend was en die haar bang maakte. Een meisjeswoord was haar te binnen geschoten. Een woord van vroeger. Eng. Zwijgend had hij zijn koffie gedronken. Weer had ze gevraagd of hij ziek was. Of er soms iets was.

Zijn gezicht had een verbaasde uitdrukking gekregen, als van een kind dat naar zoiets vanzelfsprekends als zijn naam wordt gevraagd. Toen had hij het gezegd. Of liever, het was een vraag.

Het plonzen van de aardappels in de pan water tussen haar zwarte schoenen klonk haar hard en blikkerig in de oren. Ze staarde naar de gla-

zige, bleekgele knollen op de bodem van de pan.
Ze had een paar pitten laten zitten. Toch bukte ze
zich niet om de aardappel er weer uit te halen. Ze
ging door met schillen zonder naar haar handen
te kijken.

Nu is het gebeurd. Dat had ze gedacht. Nu is
het gebeurd. Ze had niet gedacht dat het zo plotseling zou komen. Dat het zou beginnen op een
ochtend in september, met iemand die zich niet
meer wilde aankleden. Nu is het gebeurd, had
ze gedacht. En toen nog twee dingen: de dokter;
mijn dochter. De dokter; haar dochter. Ze had
heel eventjes en nauwelijks merkbaar met haar
hoofd geschud. Nee, die niet. Geen van beiden.

Ze had aan Doriens hel opgemaakte gezicht
gedacht, glad en kleurig in het midden van de kamer aan tafel. En maar praten. Dat het toch beter was. Voor de zekerheid. Als een van hen nu
iets overkwam? Ze had haar maar aan laten praten. En Manuel? Die zat voor het raam, wreef in
zijn handen en zei niets. Een hele tijd. Net alsof
hij niet luisterde. Dorien had hem pa genoemd,
niet pappa, zoals vroeger. Toen was hij opgestaan.
Opeens. Met één hand had hij de rug van zijn
stoel vastgehouden en met de andere hand had hij
naar de deur gewezen. En nou eruit, had hij ge-
schreeuwd. Eruit. Wie ben jij eigenlijk? En Dorien was gegaan, zonder slag of stoot, zonder iets
terug te zeggen. Beledigd.

Toen Dorien weg was, hadden ze daar een beetje voor gek gestaan, zo met z'n tweeën in de kamer. Hij met zijn hand nog steeds op de rugleuning van zijn stoel, zij voor de tafel, met haar handen zenuwachtig rondwriemelend in de buurt van de lege koffiekopjes. Wie ben jij eigenlijk, had hij nog eens gezegd, maar nu zachter, langzamer. Op die vraag had ze niet geantwoord. Hij leek ook niet tot haar gericht.

Ze vouwde de krant met de schillen dicht, stond op en trapte het geëmailleerde vuilnisemmertje open. De pan met aardappelen zette ze op het fornuis. Ze stak het gas niet aan. Het was nog te vroeg. Ze keek om zich heen. Toen ging ze weer zitten. Ze keek naar haar bij de knokkels gezwollen handen, naar het aardappelmesje in haar hand. Buiten klonken de vier tonen van een ambulance. Het ziekenhuis was hier niet ver vandaan. Er kwamen heel wat ambulances voorbij op een dag, maar zij bleef nooit staan om ze na te kijken, zoals veel mensen op straat.

Ze keek om zich heen in de keurig opgeruimde keuken, naar de aflopende rij pannen op de plank boven de aanrecht, de pollepels in hun houten rek ernaast. Ze keek naar de pan op het fornuis, naar de gestreepte theedoek aan een plastic haakje ernaast. Ze zat in de keuken en alles was ondoordringbaar en klein en stil, al was er steeds het geluid van auto's, brommers en de tram, maar daar had zij niets mee te maken.

Toen deed ze iets wat ze zelf niet begreep. Toch deed ze het. Vreemd was het. Eng zelfs misschien. Ze drukte met alle kracht de punt van het aardappelmesje door het plastic tafelkleed in het hout. Toen liet ze het lemmet los en keek. Het mesje bleef even trillend rechtop in de keukentafel staan en gleed toen opzij, viel terug op het plastic. Ze wreef met haar wijsvinger over het sneetje. Dat had zij gedaan, zij. Ze legde haar hand tegen haar voorhoofd. Was het zo warm of had zij het zo warm? Ze stond op en deed het keukenraam open. De populieren, waarvan zij alleen de toppen kon zien, ritselden afwezig.

Aan zijn stem had ze gehoord dat hij geen grapje maakte, zoals vroeger als hij om half zes van de werkplaats thuiskwam. Nu is het gebeurd, had ze gedacht. En: nee, niet mijn dochter; niet de dokter laten komen. Ze moest iets geheimhouden, maar ze wist nog niet precies wat. Het was vreselijk en het had te maken met zijn ogen, met zijn doffe, rondzwemmende pupillen, die haar hadden aangekeken toen hij de vraag stelde. Aangekeken zonder haar te herkennen.

Zo nu en dan hoorde ze een stem, een woord van de balkons. Ze keek naar de rij schoorstenen, de slordige horde televisiemasten op de daken. Even keek ze omhoog naar het stukje blauwe lucht. Toen draaide ze zich om.

Waarom ze zo bang was voor wat ze zag, begreep ze niet. Want wat ze zag, was heel gewoon: de witgeschilderde keukenstoel een beetje opzij van de tafel geschoven. Het aardappelmesje. Daar had ze net zitten schillen. Voor twee dagen, want het was zaterdag vandaag. En toch was ze bang. Haar handen zochten, vonden een geel, plastic gietertje op de vensterbank en vulden het onder de gootsteenkraan.

Ze stond met het gele, plastic gietertje in de keuken. Er waren hier geen planten om water te geven. Die stonden in de huiskamer. Toen deed ze weer iets wat ze niet begreep, maar wat haar een ogenblik diepe voldoening schonk. Ze goot het gietertje uit het keukenraam leeg. In een recht stroompje verdween het water uit de gele tuit onder de vensterbank uit haar gezichtsveld. Ze hoorde niets. Misschien viel het water daar beneden op het gras. Als regen, dacht ze even. Ze zette het gietertje weer in de vensterbank en keek naar een paar druppels die aan het wasrek waren blijven hangen. Ze bewogen nog. Ze glinsterden in de zon.

Het was nazomer. Buiten liepen de mensen nog zonder jas, sprongen stoplichten op rood en dan weer op groen. Ze keek naar het rekje met de houten pollepels. In een van de pollepels zat een rondgeslepen gat. Ze gebruikte ze nooit meer. Ze hingen daar maar. Plotseling zette ze de stoel recht voor de keukentafel, liep naar het fornuis en stak het gas aan. Haar bewegingen waren snel en doelmatig. Ze blies de lucifer uit en wilde hem weer in de doos stoppen. Haar hand met de afgebrande lucifer stokte. Ze keek naar het plaatje op de doos. Zwaluw. Zwaluw lucifers. Säkerhets tändstickor. Manuel had er een vreselijke hekel aan als zij de afgebrande lucifers weer in het doosje terugstopte. Het was ook irritant, maar het was een gewoonte, iets van vroeger. Ze liep naar het afvalemmertje, trapte het open en liet de lucifer tussen de gekrulde aardappelschillen vallen. De lucifer bleef in de glooiing van een breed stuk schil hangen. Ze liet de pedaal los en trapte hem meteen weer in. De lucifer was verdwenen. Zeker door de schok naar beneden gegleden. Onder de aardappelschillen misschien.

Lag er iets onder de schillen? Ze dacht na. Toen wist ze het weer: een kliekje aardappels van eergisteren.

Nu het gas brandde en de aardappels tegen de wand van de pan begonnen te rommelen, voelde ze zich beter. Toch ging ze niet zitten. Ze was moe, maar ze ging niet zitten.

Gek, hoe snel je wende aan iemand in pyjama. Misschien kwam het ook doordat het nu avond was.

Ze diende het eten op en hij kwam aan tafel. Hij lichtte de deksels op en lachte. Lekker, zei hij. Hij zat met zijn rug naar het raam. Er was veel verkeer buiten. Dat was altijd om deze tijd, als ze aten. Hij zat tegenover haar, maar hij keek haar niet aan. Hij keek langs haar heen, naar de foto's boven het dressoir. Het leek alsof hij nadacht. Toen voelde ze dat het moest. Het was gebeurd, maar het was misschien nog niet verloren.

'Weet je nog hoe je je die ochtend in je wang had gesneden bij het scheren? Zo zenuwachtig was je.'

Ze hoorde haar eigen stem. Hoe vaak zou ze die anekdote over hun huwelijksdag al niet verteld hebben.

De man tegenover haar keek haar aan, zijn kaken hielden op met kauwen. Zijn ogen stonden donker en dof en opeens was alle hoop weer verloren. Toen wilde hij iets zeggen, maar ze was hem voor.

'Ach, natuurlijk,' zei ze. 'Dat verhaal kennen we toch van a tot z.'

De man knikte en at door. Ze keek naar zijn mond, hoe hij de aardappels op zijn vork prikte, hoe ze in zijn mond verdwenen.

En weer dacht ze alleen maar zijn naam. Manuel. Waarom had ze hem niet aan het woord gelaten? Hij hoeft geen examen te doen. Hij hoeft niet te bewijzen dat hij vijfenveertig jaar met mij getrouwd is. Hij hoeft niet te zeggen wanneer foto's gemaakt zijn en wie erop staan. Hij hoeft niets. Ze probeerde kwaad op zichzelf te worden, zichzelf de schuld te geven, maar er was iets gebeurd wat ze verborgen moest houden en ze wist niet of ze dat wel kon.

Toen ze de schalen afruimde, keek ze naar de foto's. Manuel in jacquet op de trappen van het stadhuis en zij met haar boeket op advies van de fotograaf een treetje hoger, omdat ze kleiner was dan hij. Dorien als kind. Haar trouwfoto, minder plechtig, zonder sluier, en haar schoonzoon gewoon in een donker pak met een anjer in zijn knoopsgat. En dan die grote ingelijste helemaal bovenaan. Manuel bij het afscheid van de werkplaats, nu vijf jaar geleden.

Ze liep met de schalen langs het dressoir en keek naar hem, zoals hij daar te midden van zijn collega's stond. Hij in zijn nette pak, de collega's in overall. Er was nauwelijks verschil tussen Manuel en de man naast hem. Ze leken even oud, even sterk en even gezond. Iedereen lachte. Het was een feestelijke bijeenkomst geweest. Er was bier en jenever geserveerd, worst, en kaas met ananas op van die houten prikkertjes. En zijn ogen. Zijn ogen stonden vrolijk en keken geconcentreerd en scherp in de lens, net als de ogen van de anderen. Vrolijk en geconcentreerd. Alsof ze een doel hadden.

Weer bleef ze lang in de keuken. Toen ze met koffie binnenkwam, begon het al te schemeren. September was een mooie maand, maar het werd al vroeg donker. Ze zette de koffie voor hem neer en deed de televisie aan. Ze liep naar het raam. Haar hand verdween tussen de plooien van het zware donkerbruine gordijn. Toen liet ze het gordijn los.

'Televisie,' zei ze. 'De televisie begint.'

Hij knikte, stond op en schoof naar het hoofd van de tafel. Daar zat hij altijd als er televisie was, aan het hoofd van de tafel. Zij had televisie gezegd en hij was op zijn plaats gaan zitten. Zelf zat ze aan de lange kant van de tafel. Op de houten schaal achter haar lag haar breiwerk.

Het was een detectivefilm. Ze zag hoe gespannen hij ernaar keek, zijn mond strak en dan weer ontspannen.

'Goed hè,' zei ze.

Hij knikte.

Hij hield van zulke films. Zelf keek ze alleen zo nu en dan, onder het breien. Als er geschoten werd. Of de banden van auto's die elkaar achternazaten, die gierden zo dat je wel kijken moest. Net als buiten.

Het begon al donker te worden, hij zat televisie te kijken, maar toch had ze de gordijnen niet gesloten, zoals altijd wanneer het buiten donker werd. Ze keek naar de paarse en groene lichtreclames aan de overkant, de verlichte etalage van de drogisterij. Soms schoot een lichtbundel even over de muren van de huizen aan de overkant, als een auto met vallicht over het kruispunt de bocht om draaide.

Toen de film met vioolmuziek eindigde, stond ze op en legde haar breiwerk terug in de schaal. Het werd een kinderjasje voor Peter. Als het af was, zou ze het Dorien in een pakje sturen. Misschien met een brief erbij. Ze bracht de koffiekopjes naar de keuken. Door het open keukenraam hoorde ze dezelfde vioolmuziek van de overkant komen. Ze zette de kopjes op de aanrecht en liep terug naar de kamer.

Hij had de televisie uitgedaan. En weer stonden ze daar zo vreemd in de kamer, net als die keer. Hij stond met zijn gezicht naar het dressoir gekeerd, naar waar de foto's nu als donkere rechthoeken tegen het behang hingen.

Keek hij naar de foto's, probeerde hij het zich in het halfdonker te herinneren?

Zelf stond ze met de deurknop in haar hand. Niet binnen en niet buiten. Ze durfde hem niet aan te spreken zoals hij daar roerloos in het donker stond. Zelfs het licht durfde ze niet aan te doen.

'Ga je mee slapen?' zei ze.

'Ja, ik ben moe,' zei hij, en dat antwoord, die woorden klonken haar zo heerlijk gewoon in de oren, dat ze op hem af liep en hem op zijn stroeve, harde wang kuste.

Ze hoorde hem naar de wc gaan en daarna zijn gebit in een glas water doen. Ze kon zich precies voorstellen hoe hij daar stond. Een beetje vooroverovergebogen in zijn pyjama, even met verbaasde rimpels in de wastafelspiegel turend. Ze had dat zo vaak gezien.

Ze lag in bed en wachtte op hem. Toen hoorde ze in de gang een hangertje op de grond vallen.

'Manuel,' riep ze. 'Manuel, wat doe je?'

Ze kwam uit bed.

Hij was al halverwege de trap. Hij had zijn jas over zijn pyjama aangetrokken en probeerde onder het lopen de knopen dicht te maken.

Ze stond boven aan het verlichte trapgat in haar witte flanellen nachthemd.

'Wat ga je doen?' zei ze.

En weer keek hij haar zo aan, zijn hoofd op de kale, dunne nek schuin naar boven gedraaid. Alsof ze naar de bekende weg vroeg.

'Naar de werkplaats.'

'Maar het is zaterdag.' Dat zei ze terwijl hij verder de trap af liep.

Ze ging de keuken in en pakte de witte keukenstoel. Ze schoof hem onder het open raam en ging zitten. Het is zaterdag, had ze tegen hem gezegd. Het is zaterdag. Niet dat hij al vijf jaar niet meer naar de werkplaats hoefde, maar: het is zaterdag, alsof hij dát vergeten was.

Er was nu bijna geen verkeer meer. Alleen zo nu en dan een auto die inhield, optrok, in de verte verdween. Voor haar in de nacht ritselden onzichtbare populieren. Ze luisterde ernaar, en net als de treinwielen, vroeger in haar jeugd, herhaalden nu de bomen haar naam. Iedere keer dat de wind even door de populieren trok, hoorde ze haar naam. Wie ben jij eigenlijk? En de bomen die haar antwoord gaven. Anna. Anna.

De druppel

Ary's antwoord op de moeilijkheden. Ze staarde naar de tekening op de witkartonnen doos. Rechts van een verticale, zwarte lijn zat een jong echtpaar uitdrukkingsloos bij een laag, rond tafeltje. Links van de lijn bevond zich een grote, ouderwetse wieg met linten en strikken. Uit de wieg kwam een taps toelopend bundeltje streepjes dat zich net achter het echtpaar vanuit een in de leegte opgehangen babyfoontje herhaalde. Ze draaide zich met de doos in haar handen om. De deur naar de gang stond open.

'Ary!'

Met zijn Black & Decker in de aanslag kwam hij binnen. Hij lachte. Als hij lachte, werden de sproeten rond zijn neus donkerder. 'Hoe vind je 'm?'

'Moeten we het niet eerst aan vader vragen?'

Hij greep de doos uit haar handen. 'Je zult zien dat hij er blij mee is.'

Vader blij? Ze ging aan tafel zitten en keek toe hoe Ary de boor in gereedheid bracht. Als je hem zo bezig zag, kon je je moeilijk voorstellen dat hij de hele dag met zo'n dunne blauwe Bic aan een bureau zat. Moest de lege bij zijn chef inleveren voor hij een nieuwe kreeg.

Toen hij de boor met een hoog en gierend geluid de muur in dreef, stond ze op.

'Ik ga even hiernaast.'

Haar man keek niet op.

Toen ze het huis van haar vader binnen ging, hoorde ze het ratelende en roffelende geluid van Ary's boor, die zich een weg zocht door de tufstenen scheidingsmuur.

Hij zat met een kruiswoordpuzzel aan de huiskamertafel. Puuzel, zei hij altijd. Een leeg theekopje stond voor hem. Iedere keer viel haar zijn grote neus weer op. Dat kwam doordat hij zo vermagerd was de laatste jaren. In haar herinnering was haar vader nog steeds een man met een bol, nieuwsgierig gezicht. Maar zijn ogen waren nog altijd dezelfde, de ogen die zij zich herinnerde als ze voor hem stond en hij haar vroeg de waarheid te vertellen. De waarheid. Meeuwenogen waren het; blauwgrijs, de kleur van onverschillig, anoniem zeewater. Ze had haar vader hier een paar keer op de grond gevonden. En een keer in de keuken, met z'n rug tegen de keukentafel gezakt. Hij herinnerde er zich niets van. Nog een wonder dat hij nooit iets gebroken had. Ze maakte zich zorgen over de oude man, die met zijn altijd tranende ogen gezegd had: 'Als je me in een tehuis stopt, ga ik gelijk aan het gas.' Ary had er ook bij gezeten toen hij dat zei. Hij had er niks op geantwoord. En nu dit. Ze wist niet goed wat ze ervan denken moest. Het ratelen van de boor werd steeds duidelijker.

Vader had nauwelijks aandacht aan het apparaatje besteed, al had Ary een kwartier op hem in zitten praten hoe het werkte. Hij interesseerde zich nergens meer voor, las geen krant meer of keek niet meer bij hen naar de tv, zoals een jaar geleden nog. Eén keer in de week kocht ze een nieuw puzzelblad voor hem. Negenenzeventig cent. Dat was alles wat hij nodig had.

Hij had maar zo'n beetje tegen Ary zitten knikken.

Bij hen hing de babyfoon in de zit-slaapkamer. Er zat maar één knopje aan. Een schakelaartje eigenlijk, net als op de stofzuiger. Naar boven was aan, naar beneden uit. Hij stond altijd aan. Je kon nooit weten. Eén keer in de veertien dagen vernieuwde Ary de batterijen. De lege zette hij met de witte katjes naar voren in een rijtje op de linnenkast. Leuke versiering, vond hij. Als hij naar kantoor was, werd het stil in huis. Met een zekere lome voldoening verrichtte ze de dagelijkse handelingen, maakte dezelfde loopjes van gang naar kast, van de keuken naar de eethoek. Soms glimlachte ze eventjes, zomaar zonder reden. Ze hield van de kabbelende rust van het huishouden. Tot Ary met dat ding thuisgekomen was. Zijn antwoord. Recht voor zijn raap en zonder omwegen. Zo was hij. Thuis tenminste. Over kantoor vertelde hij nooit veel.

Haar vader was rusteloos. Dat waren oude mensen allemaal, volgens Ary. Bang voor de dood. Dat ze gehaald werden.

Vader zou daar anders niet rouwig om zijn. Hij had het vaak genoeg gezegd. Werd ik maar niet meer wakker. Ze kon niet helpen dat ze de hele dag luisterde. Het was geen nieuwsgierigheid, maar je hoorde gewoon alles. Hoe hij zuchtte, een blad van het puzzelboekje omsloeg, of hardop een woord zei. Soms begon hij plotseling te zingen, liedjes die ze niet kende en die onverstaanbaar waren omdat hij zijn gebit na het eten meteen weer uitdeed.

Als ze hem hoorde, hield ze op met waar ze mee bezig was, en vaak was ze naderhand vergeten wat ze moest doen. Dan liep ze even verdwaasd met grote, lege handen rond. Er raakten meer voorwerpen zoek dan vroeger. Een pakje Blue Band in de linnenkast, het verbaasde haar nauwelijks meer.

Een paar keer was ze uit de keuken aan komen rennen omdat ze hem hoorde roepen, dacht dat hij gevallen was, om hulp riep. Maar hij riep niet om hulp. Hij schold iemand uit, met een dunne, onvaste stem. 'Klerelijer van een Goemans, klootzak!' Vader was machinebankwerker geweest en Goemans was misschien iemand op zijn werk geweest, een baas of zo, van vroeger, allang dood waarschijnlijk.

Iedere middag ging ze thee bij hem drinken. Ze sprak nooit met hem over de babyfoon en over wat ze hem in zijn eentje allemaal hoorde zeggen. Zelf leek hij het ding vergeten. Hij sprak er tenminste nooit over. Tegen Ary zei ze niets. Hij vroeg alleen iedere avond of er nog moeilijkheden waren geweest; met het apparaat. Dan schudde zij haar hoofd.

Vader ging al om half zeven naar bed. Een divanbed. Het stond in de woonkamer. Daarom hoorden ze hem ook wel eens 's nachts rommelen. Ze werden er wakker van. Kan zeker z'n draai niet vinden, zei Ary dan. Oude mensen hebben geen slaap meer nodig. Zitten de hele dag al op hun kont. En dan draaide hij zich weer om.

Ze hadden het apparaat nu vier weken in huis. Vrijdag was het, en vanmiddag, toen ze zat te lezen, hoorde ze hem plotseling hardop de slagen van zijn staande klok tellen: een-twee-drie-vier-vijf! Even was het stil. Toen hoorde ze hem zeggen: 'Ach godverdomme, wat kan het mij ook schelen. Ik ga naar m'n nest!'

Hij ging steeds vroeger naar bed. Slapen deed hij niet. Hij lag maar zo'n beetje naar het plafond te staren, zei hij. Pilletjes wilde hij niet. Hij vertrouwde op geen dokter. Vroeger al niet. Vader moest wel doodziek zijn, wilde er een dokter over huis komen. Ze had een hele tijd met het boek in haar schoot naar buiten zitten staren.

'Je zág mij niet eens,' grapte Ary met zijn tas nog in zijn hand. 'Mooi wijf heb ik, hoor, ziet me niet eens meer. Nog moeilijkheden?'

Ze schudde haar hoofd.

'Een apparaat is een apparaat,' zei ze.

Toen ze in bed lagen en hij haar naar zich toe trok, draaide ze haar hoofd af. Het was vrijdag, dat wist ze ook wel. Maar toch.

'Mooi wijf ben jij,' mopperde Ary. 'Eerst ziet ze me niet, kijkt glashard langs me heen, alsof ik een asbak ben of zo en dan... Ik ben je mán – Ary!'

Aan zijn toon hoorde ze dat hij haar weigering niet serieus opnam.

Ze draaide zich naar de muur.

'Wat is er met je? Ben je ziek?'

Ze schudde haar hoofd op het kussen.

'Wat dan?'

Zijn hand met de grote, bewegende vingers kroop onder haar nachthemd over haar buik. Zo direct zou hij ze erin steken. Vier tegelijk. Altijd één te veel. Ze trok haar buik in.

'Vader kan ons horen.'

Ze draaide zich om. Ze kon zijn gezicht in het donker nauwelijks onderscheiden. Toch wist ze hoe het eruitzag. Zijn wenkbrauwen gefronst, zijn lippen opeengeperst, zijn ogen op een bepaald punt in het donker gericht.

'Ik wist niet dat je zo bleu was.'

'Je maakt altijd zo'n lawaai.'

'Mag ik soms. In mijn eigen huis.'

'Schreeuw niet zo.'

'Die ouwe slaapt allang.'

'Hij slaapt niet. Hij ligt in bed, maar hij slaapt niet.'

Even lagen ze allebei zwaar en roerloos naast elkaar.

'Ik hoor alles van hem,' zei ze toen. 'Hoe hij opstaat, zucht, zijn puzzelblad omslaat. Alles.'

'Nu is het nacht. Kom.'

'Dat rotapparaat ook!'

'Aan dat apparaat mankeert niets.'

Plotseling wentelde hij zich op haar en probeerde haar te zoenen. Met alle kracht duwde ze hem van zich af tot vlak aan de rand van het bed. Met opgetrokken knieën zag ze hem overeind komen. Ze hoorde hoe hij hijgde in het donker.

'Het is mijn vader, Ary. Mijn váder.'

Hij schoof uit bed en scharrelde tastend door de kamer.

Ze wist wat hij ging doen, maar ze zei niets. Ze lag op haar rug en volgde zijn wat gebogen, bewegende gestalte. Ten slotte stond hij weer voor het voeteneind. Ook dat had ze verwacht.

'Zo. Dat is opgelost.'

Het was de vaste dag: vrijdag. Zoals maandag wasdag, woensdag gehaktdag en zondag zondag was. Met één hand trok hij de dekens terug, met de andere schoof hij door zijn knieën zakkend haar nachthemd omhoog.

Van onderen was ze droog. Droog en onvruchtbaar. Wat hij ook deed. Al jaren werd ze niet meer ongesteld. Hij kon doen wat hij wilde, zijn zaad liep in haar verloren, dood. Voor het eerst was die gedachte een verdediging, een schild. Het was vrijdag en dus kwam hij schreeuwend klaar, maar zij had er niets mee te maken.

Hij schoof van haar af en draaide zich op zijn zij. Ze stond op en legde de dekens over hem heen, stopte ze in. Toen liep ze naar de babyfoon en zette het apparaatje weer aan. Een ogenblik stond ze luisterend voor de muur. Maar er was niets dan ruisende stilte en een trage druppel langs haar dijbeen, die dikker en zwaarder werd, losliet en viel. Met haar hiel wreef ze hem draaiend in het vaste tapijt.

Geboorte

Hij zat met zijn rug naar de erker. In de achterkamer scharrelde Tina bij het theelichtje rond.
In de ruitjes van de boekenkast kon hij vanuit
zijn stoel een stukje van de straat zien; altijd hetzelfde stukje, met daarachter schemerend de drie
grijze banden van Becks *Geschiedenis van het die-
renrijk*.

Hij keek weer de kamer in, naar de tuin erachter met de bladerloze perenboom, de stompjes
van de verdorde varens tegen de donker geteer-
de schutting en naar de schuin opstaande bak-
steentjes, keurig achter elkaar, die de afscheiding
vormden tussen de perken en het grindpad eromheen.

Tina was nu in de keuken ontbijtkoek aan het
snijden. Dunne plakjes. Anders lustte Frieda het
niet. Zo ging het elke dag.

Was het de herinnering aan al die voorgaande middagen dat zijn dochter kwam om de boodschappen op te nemen, al die keren dat hij het
tuinhekje piepend had horen opengaan en gewacht had op het getik van haar trouwring tegen
het raam? Of was het het weer, deze kale, toch-

tige novembermiddag, de straat waar niemand liep?

Frieda kwam altijd precies op tijd, om half twee, haar bruinleren, op de hoeken versleten boodschappentas in haar hand. En ze vertrok ook altijd weer om dezelfde tijd. Dan gingen Tina en hij een uurtje liggen. Soms sliep hij in, maar meestal lag hij wakker, naar het plafond te staren, en luisterde hij naar zijn hartslag, naar het gerommel in zijn maag of het gesuis in zijn oren. Daar had hij de laatste tijd meer last van dan vroeger.

Toen hij de trouwring tegen het glas hoorde, stond hij op, wuifde zonder naar het raam te kijken en liep naar de gang. 'Blijf maar,' riep hij in de richting van de openstaande keukendeur. Dat riep hij elke middag. Eigenlijk had het weinig zin, want Tina was doof. Ze hoorde de bel niet eens.

Hij deed de deur open en kuste de koude wangen die de vrouw in de deuropening hem toekeerde.

'Brr, wat een weer,' zei ze en zette haar boodschappentas naast de lege paraplubak.

Hij wilde haar uit haar jas helpen.

'Laat maar, vader, het gaat zo wel.'

Hij hield de glazen tochtdeur voor haar open.

'Hoe is het met moeder?'

Hij antwoordde niet en liep achter haar aan naar de keuken. Halverwege de gang bleef hij staan. Hij keek naar de barometer en toen naar de witte knokkel van zijn linkerwijsvinger, die zich vlak voor het ronde glas bevond.

In de keuken hoorde hij de twee vrouwen praten. Frieda sprak luid en nadrukkelijk. Het ergerde hem dat ze ook zo tegen hem praatte, maar hij liet het niet merken. Iedere middag kwam Frieda, als ze haar kinderen naar school had gebracht, met de bus naar hen toe. Tina en hij waren slecht ter been. Behalve in de tuin kwamen ze zelden meer buiten. 's Zomers wel eens. Dan nam Gerard, Frieda's man, hen voor een dag mee naar het strand, de zee.

Hij liep de kamer in en ging aan tafel zitten. Nu was Frieda in de keuken bezig. Vroeger had hij er wel eens bij gestaan als ze snel en kordaat, soms op haar tenen, zodat je haar kuitspieren onder haar nylons zag opbollen, kasten en planken inspecteerde en de benodigde levensmiddelen op een blocnootje schreef. Tina stond altijd in een hoekje bij het fornuis, alsof dat haar voorgeschreven plaats was in de keuken. Met één hand hield ze een van de wit emaillen hoekpunten van het fornuis vast. Het maakte haar hulpelozer en kleiner dan nodig was.

Daarom ging hij niet meer naar de keuken als Frieda er was.

'Mannen horen niet in de keuken.' Vroeger had Tina dat ook altijd gezegd, maar nu protesteerde ze niet meer als hij haar 's middags hielp het eten klaar te maken, de aardappels te schillen of de sla te wassen.

'Wat zitten jullie weer te schemeren.'

Met het schoteltje koek in haar ene hand draaide Frieda het lichtknopje om.

'Zo, dat is beter.'

Ze zette het schoteltje op tafel, draaide zich om en riep: 'Kom je, moeder?'

'Je moeder zit op het toilet.' Hij zei het heel zacht.

Frieda ging tegenover hem aan tafel zitten. De thee was Tina's afdeling, dat wist Frieda, daar kwam ze niet aan. Ze had haar armen op tafel gelegd, haar handen over elkaar. Boven haar trouwring zat een roofje.

'Hoe is het met de jongens?' zei hij terwijl hij over haar schouder naar hun portretjes aan de muur keek.

'Prima hoor, vader. Jos leert al Engels.'

'Zo,' zei hij.

Toen ze de wc hoorden doortrekken, keken ze allebei naar de openstaande kamerdeur. Vroeger had hij wel eens tegen Tina gezegd dat ze haar handen moest wassen als ze van het toilet kwam. Maar ze vergat het, iedere keer.

Hij keek naar haar korte, dikke vingers, die de theepot van het lichtje namen. Er werd niet gemorst vandaag.

'Hou je van veldsla, vader?'

Hij keek zijn dochter verrast aan.

'Het is weer eens wat anders, dacht ik. Wij eten het morgen ook.'

Hij knikte en glimlachte. Vaak aten Tina en hij hetzelfde als Frieda en haar gezin. Hij begreep dat dat makkelijker was. Misschien was het zelfs voordeliger. Wie weet.

'Zijn dat niet allemaal van die kleine blaadjes,' vroeg hij.

'Toen ik van jou in verwachting was, was ik dol op veldsla. Ik kon het de hele dag wel eten.'

Hij zag hoe zijn dochter haar moeder verbaasd aankeek. Ze trok haar dunne, blonde wenkbrauwen omhoog.

'Des te beter,' antwoordde ze.

Hij herinnerde het zich niet, dat ze zo dol op veldsla was geweest toen ze zwanger van Frieda was. Maar hij herinnerde zich wel meer niet. Hoe ouder je werd, des te meer dingen je ontschoten. Dat was het juiste woord. Ontschieten. Het ene ogenblik wist je het nog en dan was het weg, opeens. Eerst deed je nog moeite zo'n herinnering te achterhalen. Maar hoe moest je naar iets zoeken als je je niet meer herinnerde waar je naar zoeken moest?

'Kom, ik moet weer eens.'

Frieda stond op. Ze had haar thee niet helemaal opgedronken. Hij had wel eens tegen Tina gezegd dat ze de thee niet zo lang moest laten trekken. Maar Tina vergat het iedere keer weer.

Hij stond op en liep achter zijn dochter de gang in. Haar heupen waren breder geworden, maar ze had nog altijd slanke benen.

'Ik ga wat eerder weg dan anders,' zei ze, terwijl ze zich bukte en de boodschappentas oppakte. 'Ik moet nog wat extra's in huis halen. Voor morgen.'

Hij knikte en nam haar mantel van de kapstok. Met twee rukjes van haar rug liet ze de grijze mantel over haar schouders glijden en knoopte hem dicht. Ze draaide zich om.

'Hoe gaat het met moeder?'

'Goed,' zei hij, 'goed hoor.'

'Dan ga ik de kou maar weer in.'

Ze lachte en kuste hem op zijn wang.

Hij bleef in de deuropening staan. Voor ze het hekje uit ging, trok ze de kraag van haar mantel omhoog.

'Je prikt, pa,' riep ze en weer lachte ze.

Hij probeerde ook te lachen. Aan de overkant van de straat stond een vrouw met een kind op de arm. Het kind wuifde naar Frieda, die enigszins voorovergebogen de straat uit liep.

Hij sloot de deur en keek in de spiegel naast de kapstok. Ze had gelijk. Vergeten. Hij wreef even langs zijn kin, deed toen de tochtdeur open en ging de trap op naar de slaapkamer. Bij de vierde

tree hoorde hij de tochtdeur in het slotje terug-
klikken. Altijd bij de vierde. Een maand of wat
geleden was het nog bij de vijfde geweest. Eén
maand, of was het twee maanden geleden?

Hij was verbaasd toen hij Tina voor de geopende
deuren van de linnenkast aantrof. Hij ging op het
bed zitten, trok zijn pantoffels uit en keek naar
zijn vrouw, die iets tussen het linnengoed leek te
zoeken.

'Zoek je wat,' vroeg hij.

Ze draaide zich niet om.

'Ik kan de navelbandjes nergens vinden. Ik
weet zeker dat ik ze hier ergens gelegd heb.'

Navelbandjes. Het woord kwam hem vaag bekend voor, maar hij kon het toch niet thuisbrengen. Vroeger zou hem dat geïrriteerd hebben, zou
hij gevraagd hebben, wat zijn dat, navelbandjes,
maar langzamerhand was hij gewend geraakt aan
de plotselinge onbekendheid die woorden soms
voor hem kregen, een lege klank die hij niet meer
met betekenis kon vullen. Het gevoel deed hem
denken aan een spelletje dat hij vroeger als kind
speelde: een woord net zo lang herhalen tot het
een zinloze klank was geworden.

Hij ging op bed liggen en herhaalde het woord
een paar keer in zichzelf. Nee, het zei hem niets.

'Kom je niet liggen,' vroeg hij.

'Ik kom zo,' zei ze, een stapeltje handdoeken

verschuivend. 'Alles moet in orde zijn. Ze moet straks alles kunnen vinden.'

Tina draaide zich om. De kraaienpootjes onder haar ogen leken op bladerdeeg, zo fijn gebarsten was de huid daar. Hij hield van haar ogen, die nog dezelfde prikkerige felheid bezaten als toen hij haar leerde kennen. Voor de rest was zij veranderd, ouder geworden, net als hij. Zijn dochter leek niet op haar, had meer van zijn moeder weg. Struis noemden ze dat. Een flink mens, zeiden anderen.

'Komt er dan iemand?'

Hij keek door het slaapkamerraam naar de houten vlonder op het balkon, die donker zag van het vocht.

Hij schrok van haar plotselinge giecheltje. Ze hield een hand voor haar mond.

'Jullie mannen ook. Jullie merken ook nooit iets van die dingen.'

Ze kwam moeizaam naast hem liggen, strekte zich uit en pakte zijn hand. Dat deed ze wel meer, en net als altijd drukte hij haar hand, lichtjes en vriendschappelijk, en wilde hem toen weer loslaten. Maar zij hield hem vast en legde zijn hand op haar buik. Hij draaide zich op zijn zij, keek haar aan.

'Heb je last van je maag. Zal ik een glas melk voor je warm maken,' vroeg hij.

Ze had haar ogen gesloten en legde een vinger op haar blauwige lippen. Hij rilde plotseling, dacht even aan het moment waar ze, zonder er met elkaar over te spreken, dikwijls over nadachten. Een moest de eerste zijn. Maar ze ademde rustig. Niets wees erop dat ze ziek was, het benauwd had.

'Is er iets,' vroeg hij, proberend zo rustig mogelijk te klinken.

Haar donkergrijze haar bewoog op het kussen.

'Voel je niets?'

'Nee,' zei hij. Hij wilde zijn hand terugtrekken, rechtop gaan zitten, maar ze hield zijn hand met kracht tegen.

'Je moet niet zo ongeduldig zijn. Zo direct komt het weer.'

'Wat dan?'

'Nu. Voel je niet hoe het schopt?'

Hij kleedde haar uit, deed haar voorzichtig de lange flanellen nachtpon aan en legde haar in bed. Ze hield haar handen tegen haar buik gedrukt. Hij zag hoe ze zo nu en dan met een schok haar benen optrok onder de wijnrode moltondeken. Hij sloot de gordijnen en ging naar beneden.

Pas in de keuken huilde hij. Er kwam geen geluid uit zijn keel. De tranen liepen zomaar uit zijn ogen, tussen zijn baardstoppels, in de openstaande kraag van zijn overhemd. Wat moest hij doen?

De dokter waarschuwen. Frieda? Zenuwachtig zochten zijn vingers in de messenbak naar het aardappelmesje. Mussen tsjilpten op de rand van de groene regenton, vlak onder het keukenraam.

Hoe zou hij het moeten uitleggen? Misschien was het maar tijdelijk en hield het straks op, zoals een droom of een aanval van hevige koorts.

Hij ging aan de keukentafel zitten en begon hun dagelijkse vier aardappels te schillen; drie voor hem en één voor Tina. In de braadpan op het fornuis lag in een laagje gestold vet nog een stukje kalfsvlees van gisteren. Uit de ijskast haalde hij een pakje diepvriesspinazie.

Op de trap moest hij het dienblad twee keer neerzetten. Hij liet zich op zijn knieën zakken, zijn hoofd schuin, luisterend, opgeheven naar het monotone gekerm, terwijl hij het blad op de tree voor zich met beide handen vasthield.

Toen hij de slaapkamer binnen kwam, begreep hij dat hij het eten voor niets had klaargemaakt. Haar maaiende rechterarm wierp een schaduw op het behang. De schaduwhand kromp tot een vuist ineen. Hij zette het blad op de stoel aan zijn kant en ging naast haar op het bed zitten. Hij legde een hand op haar bezwete voorhoofd.

'Hier ben ik,' zei hij. 'Ik ben bij je.'

'Het doet zo'n pijn, Teun, o, het doet zo'n pijn.'

Ze sloeg haar ogen op. Haar pupillen zwommen omhoog, keken langs of over hem heen.

'Ga niet dood,' fluisterde hij en greep haar hand.

Hij liet haar in zijn hand knijpen. Ze hijgde.

'Is de baker er al?' Haar bruine ogen stonden plotseling weer helder.

'Tina,' begon hij, 'Tina...'

'Is ze er nóg niet? Het kan ieder moment... ik voel het...'

'Ze is beneden,' zei hij. 'Ze heeft de pannen met water al opgezet.'

Ze glimlachte en sloot haar ogen weer. Ze leek rustiger te worden door die mededeling.

Dat had hij toen ook gezegd. Hij herinnerde het zich nog precies. Hoe hulpeloos en nutteloos hij zich gevoeld had, schuldig zelfs dat hij de oorzaak van dit alles was, deze pijn waar hij geen greintje van kon meevoelen. Hij had haar hand gepakt en ze had hem geknepen, bij iedere wee, zijn vel opengekrabd, zodat het bloedde. Nooit was hij blijer met een wond geweest. Hij keek naar de rug van zijn rechterhand, het droge gebarsten vel met de verspreide bruine pigmentvlekjes.

Met regelmatige tussenpozen keerden de weeën terug. Ze duwde haar buik naar voren en trapte met haar voeten, zodat hij de dekens telkens weer moest rechtleggen. Hij liet haar hand niet los, al had die niet meer de kracht om de zijne open te krabben. Haar andere hand zocht naar de spijlen van het bed waarin ze toen bevallen was en dat vijftien jaar geleden plaats had moeten maken voor dit brede, eikenhouten bed. Hij keek hoe haar hand graaiend langs de gladgelakte beddenplank op het matras terugviel.

Door een spleet van de slaapkamergordijnen zag hij de flikkering van een lamp in de huizenrij aan de overkant. Vaag hoorde hij het bonzende geluid van een televisietoestel. Met een tip van het laken veegde hij nog een keer het zweet van haar voorhoofd. Het scheen haar goed te doen, ze leek er rustiger van te worden. Hij vroeg of ze wat drinken wilde. Ze schudde nauwelijks merkbaar haar hoofd.

'Zou het een jongen worden?'

Hij verstarde. Zijn hand verslapte even in de hare. Hij had vurig op een zoon gehoopt, indertijd. Maar toen het een dochter werd, had hij het ook prachtig gevonden.

'Als het een jongen wordt, noemen we hem Ger. En als het een meisje is, Frieda, naar jouw moeder.'

Hij knikte en keek naar haar gezicht, waar nu weer een vlaag van pijn overheen trok. Zo net had hij het nog herkend, het gezicht van zijn vrouw, zoals hij het in de loop der jaren had zien veranderen van een glad meisjesgezicht tot het gerimpelde, wat ingevallen gezicht op het kussen, dat nu echter leek op te lossen, niet leek te kunnen kiezen uit alle uitdrukkingen die het eens gedragen had. Beneden hoorde hij de klok slaan. Zij scheen het ook te horen. Ze draaide haar gezicht naar hem toe en vroeg hoe laat het was.

'Tien uur,' zei hij.

'Waarom komt ze niet?'

'Het is nog niet zover.'

'Heb je haar alles gewezen?'

'Ze weet de weg.'

Over wie had hij het? Hij herinnerde zich vaag een blozende vrouw met een blauw schort voor, die een week lang het huis geterroriseerd had. Hoe heette ze ook alweer?

'Hoe heette...'

Hij hield verschrikt op. Nu pas besefte hij hoe ver Tina van hem verwijderd was, bijna veertig jaar, en dat het lichaam in het bed bijna een gezichtsbedrog was. Waar kwam de pijn vandaan die nu haar nietsziende pupillen opensperde? Ze begon weer te kreunen. Hij kneep in haar hand. Ze drukte haar hoofd achterover in het kussen, zodat het vel van haar hals gladtrok en de rimpels op fijne messneetjes leken. Haar onderlichaam bewoog woest heen en weer.

Hij keek naar de donkere, gebladderde hoeken van het plafond. Zijn rug deed pijn, hij probeerde te gaan verzitten. De wastafel herhaalde zich in de spiegel van de half openstaande linnenkast;

het glas met haar gebit, het flesje odol, de plastic beker met twee tandenborstels, een roze en een groene. Met één hand hield hij haar klamme hand vast, met de andere probeerde hij, voorovergebogen, de dekens wat recht te trekken. Zijn benen prikten, begonnen te slapen, een kwaal waar hij vaker last van had. Maar nu durfde hij zijn benen niet op het bed te leggen.

Haar mond, met de een beetje naar binnen gevallen, blauwige lippen, maakte kauwende bewegingen. Hij boog zich voorover, maar het waren geen woorden die uit haar keel kwamen. Zijn ogen prikten van vermoeidheid. Hij kneep ze dicht en deed ze meteen weer open. Hij staarde naar het gezicht op het kussen. In jaren had hij niet zo geconcentreerd, zo volkomen verdiept in haar gezicht gekeken, misschien wel nooit.

Hij knoopte de bovenste knoopjes van haar nachtpon open. Haar borst ging pompend op en neer. Hij kon zich niet meer herinneren wanneer ze ziek geweest was. Behalve een beetje reumatiek in haar knieën en twee spataderen had ze niets. Was het misschien te warm? Hij keek naar de radiator onder het raam. De knop stond op medium, zag hij.

Toen hij weer naar haar keek. schrok hij. Even was het gezicht op het kussen een volkomen vreemd masker voor hem, bleek en roerloos. Hij kneep in haar hand, hard en vertwijfeld. Ze slikte een paar keer, haar lichaam bewoog onder de deken, maar trager nu, vermoeider.

'Tina,' zei hij met een droge keel.

'Ga haar roepen nu,' zei ze. 'Ik wil haar hier hebben. Ga haar halen.'

Al die jaren had hij niet meer aan die avond gedacht. Hij was de vroedvrouw gaan roepen en een uur later was het kind er. Hij had het huilen op de gang gehoord. Hij was naar beneden gegaan en had zich een borrel ingeschonken.

Hij stond op, ging de slaapkamer uit en de trap af. Door de glazen tochtdeur zag hij de krant op de mat liggen. Hij liep naar de keuken, deed de keukenkast open en pakte de jeneverfles. Hij schonk een limonadeglas voor een kwart vol. Met het glas in zijn hand liep hij naar de huiskamer. Hij ging onder de lamp aan tafel zitten. Zwak hoorde hij boven zich het gesteun, net als toen.

Vijf, bijna zes jaar hadden ze op het kind gewacht, erover gepraat. Tina was mooi geweest toen ze eenmaal zwanger raakte, langzaam en tevreden opbolde met haar haar in een knoetje achter op haar hoofd en twee van die krullerige, losgesprongen strengetjes langs haar slapen.

Hij probeerde beelden bij die gedachten, die woorden in zijn hoofd, te vinden, maar steeds weer schoof het gerimpelde, angstig heen en weer schuivende gezicht op het grote kussen ertussen. Hij keek naar zijn bleke, vochtige rechterhand, wreef hem over de tafelrand droog.

De eerste keer dat hij haar hand had vastgehouden, was toen hij haar ontmoette in dat danslokaal in, waar was het, het begon met een D, kom, hoe heette die plaats. Deventer? Ja, Deventer moest het geweest zijn. Hij hield van dansen in die tijd. En daar had hij haar voor het eerst ontmoet, in een dansgelegenheid. Ze was in de huishouding. Hoe had hij haar gevraagd? Wat hadden ze gezegd, wat waren de eerste zinnen geweest? Hij wist dat ze ergens om gelachen had, om iets wat hij zei. Later ging hij vaak met haar wandelen, in de bossen. Maar hoe waren ze daartoe gekomen? Wat was er tussen die dansavond en die eerste boswandeling gebeurd? Had hij haar thuisgebracht? Het moest haast wel. Hij herinnerde zich plotseling een oud grachtje. Maar dat was niet in Deventer. Deventer, dat was van de koek, de ontbijtkoek waar Frieda zo dol op was, als ze maar dun gesneden was. Kruidkoek noemde zij het. Het was een stad die begon met een D, dat wist hij zeker, en de zee was niet veraf. Dat danslokaal, hoe zag dat eruit? Er kwam hem een vaag beeld van een rokerig zaaltje voor ogen, maar dat kon net zo goed op een kermis geweest zijn of ergens anders, later of vroeger in zijn leven. En langs het strand, op een herfstige dag, die keer dat zijn hoed de zee in was gewaaid, rollend op zijn kant de golven tegemoet. Wat hadden ze daarom gelachen. Droeg hij voor zijn trouwen al een hoed?

Ze liepen samen langs het strand en keken naar de meeuwen die zo nu en dan de branding in doken en bovenkwamen met een klein, zilverglinsterend visje in hun bek. Ze liepen hand in hand over het strand, en als je achter je keek, zag je hoe je voetstappen meteen weer verdwenen in het natte zand, dat een zuigend geluid maakte, sjloep, sjloep.

Hoe heette die stad waar hij haar ontmoet had en waar dat grachtje was met het donkere, roerloze water tussen de schuin omhooglopende wallenkanten, waar planten en onkruid uit groeiden?

Hij schudde zijn hoofd. Je moest niet proberen de klok terug te draaien. Of was het zetten?

Hij luisterde even, met geheven hoofd. De vroedvrouw was nu bij haar. Ze dacht dat de vroedvrouw bij haar was. Er kon nu niets gebeuren. Hij keek op zijn horloge. Nee, je moest de klok niet terugzetten. Dat moest hij niet doen. Je werd er nerveus van, bang dat je alles door elkaar haalde, zoals Tina nu; de zee en de bossen, een danslokaal dat niet bij een stad wilde passen, of een stad die met een D begon en waar je haar voor het eerst gezien had, zonder hoed of met hoed, en wat je gezegd had, 'juffrouw, mag ik deze dans van u' waarschijnlijk, maar zeker wist je het nooit, en waarom. Het was logisch dat je je verleden niet keurig op een rijtje had staan, zoals in een kasboek.

Tina was oud, hij was oud. Er was een dag geweest, of een avond, dat hij haar voor het eerst van zijn leven gezien had. Een jong meisje met donkerblond haar, dat met hem gedanst had en met wie hij later was getrouwd, met wie hij in een huis had gewoond en later in nog andere huizen. Hij had dingen met haar verzameld, meubels, boeken; een kind hadden ze gekregen toen ze de hoop daarop al hadden opgegeven. Hij had zo nu en dan opslag gekregen, zij had zo nu en dan iets nieuws gekookt. Ze waren samen met vakantie in de Ardennen geweest en op het eiland Wight, maar dat was voor de oorlog. Hij had er nog foto's van. Toen was hij gepensioneerd geraakt. Hij werkte veel in de tuin, Tina breide voor haar kleinzoons, die één keer in de veertien dagen langskwamen, op zondag. Zo was het, ja, zo was zijn leven geweest en niet anders.

Hij dronk het laatste restje jenever op. Plotseling had hij zijn mond vol speeksel. Hij slikte een paar keer, trok met zijn vinger vierkantjes op het tafelkleed. Hij keek naar de portretten achter glas boven het dressoir. Een jongetje in een trainingspak met een kruiwagen en daarnaast een foto van een vrouw met aan weerszijden twee blonde, op elkaar lijkende jongenshoofdjes, die uit het niets van de witte achtergrond leken op te stijgen.

Hij zag zichzelf weerspiegeld in de tuindeuren. Op het rooktafeltje stond een doos sigaren. Een puzzelblad lag er opengeslagen naast. Hij wendde zijn hoofd af, keek naar de voorkamer, naar de grote leunstoel voor het raam, de boekenkast, het bloementafeltje met de clivia. Aan de overkant van de straat was alles donker. Hij keek op zijn horloge en daarna naar het plafond. Toen het vijf over half een was, stond hij op.

In de gang tikte hij in het voorbijgaan tegen het ronde glas van de barometer.

Zonder te kijken draaide hij het nummer. Frieda zou verbaasd staan dat hij zich haar verjaardag zo precies herinnerde. Op de minuut af. Waarom namen ze nu niet op?

Aan de andere kant werd de telefoon opgenomen.

Oom Arthur

De vrouw sloeg een wijnrood fotoalbum open en schoof het over het tafelkleed naar hem toe. Gaf een eigenaardig schurend geluid. Hij keek even naar de opstaande haartjes van het pluchen kleed en toen naar het album voor hem. Daarna pas keek hij naar haar.

Mager was ze, vooral haar handen. Een vrouw met grijs krullend haar en een bril die een beetje scheef op haar neus stond. Zorgelijk. Toen ze hem toeknikte trokken er dunne plooien in haar droge dooraderde wangen. Hij begreep dat ze probeerde te glimlachen.

Nog eens keek hij naar de opgeplakte foto's op het stugge zwarte fotopapier. Aarzelend ditmaal. Bijna niet durvend. Omdat hij geen antwoord op de plaatjes wist. En omdat zij hem maar glimlachend bleef aankijken.

Het was zo moeilijk om erachter te komen wat mensen van je wilden. Er werd tegenwoordig ook vreemd gepraat. Daarom concentreerde hij zijn aandacht meestal op de hond, die nu in zijn ronde rieten mand voor de kachel op een paar kussens lag te slapen.

Soms stond de hond op, scharrelde naar hem toe en schoof zijn bruine kop op zijn schoot. Dan legde hij zijn hand op de hondekop. De hond drukte dan zijn kop tegen zijn hand omhoog en keek hem met zijn geelbruine ogen aan. Dan keek hij terug. Na een tijdje haalde hij zijn hand weg. Dan liep de hond weer terug naar zijn mand. Altijd hetzelfde. In die volgorde. Zijn rechterhand bleef nog een tijd warm. Dat was alles. Het was genoeg. Vaak had hij het koud en dan was het prettig om de hond te roepen, de warmte van de vacht te voelen. Alleen de hond durfde hij nog recht in de ogen te kijken.

'Weet je nog in Zutphen,' zei de vrouw en wees op een van de foto's.

Een man en een vrouw stonden gearmd onder de galerij van een oud gebouw; een waag of misschien was het wel een stadhuis. Het waren nog betrekkelijk jonge mensen en hun gezichten drukten eigenlijk niets uit. Net zomin als de rest van de foto.

De vrouw tegenover hem aan tafel schoof haar vingers in en uit elkaar. Het viel hem op dat ze dezelfde ring aan een van haar vingers droeg als hij. Wat ze van hem verwachtte begreep hij niet, maar het was duidelijk dat ze iets van hem wilde. Daarom begon hij te vertellen. Eerst aarzelend en hortend maar daarna steeds overtuigder, met een vaste en wat hese hoge stem.

'Jazeker,' zei hij. 'Jazeker. Maar natuurlijk. Vader en moeder namen ons altijd overal mee naartoe. Wij waren de eersten in de straat die fietsen hadden. Je kunt je niet voorstellen hoe hard of dat ging. Er waren bijna nog geen auto's in die tijd, weet je. We vlogen. Je haren slierden langs je hoofd. Heerlijk was dat, de wind door je haren en onder je het geribbel van fietsbanden over de klinkers.'

Weer keek hij naar de foto. Hij herkende zijn ouders nu heel duidelijk. Zijn moeder met dat verlegen lachje van haar, alsof ze altijd in het vermoeden leefde net iets verkeerds gedaan te hebben waarvoor ze zich excuseren moest en zijn vader met die dure grijze pofbroek die hij altijd op vakantie droeg. Hoe lang waren ze al niet dood. Hij kreeg opeens tranen in zijn ogen.

Toen hij opkeek had de vrouw tegenover hem ook tranen in haar ogen. Dat was eigenlijk heel sympathiek van haar.

Hij sloeg de stijve zwarte bladzijde om, bekeek andere foto's en herkende daartussen het weiland waar oom Arthur hem paardrijden had geleerd.

'Weet je nog, oom Arthur,' zei hij. 'Hij was jonger dan vader. Hij droeg altijd geruite sportjasjes. Ik kreeg de dozen van de bonbons die hij voor moeder meebracht. Prachtige dozen waren dat, met gekleurde poppen of soldaten die je heen en weer kon schuiven. Bewegende sprookjes of veldslagen. Een heel theater was zo'n doos. Weet je nog?'

Er werd gebeld. De vrouw bracht verschrikt haar handen naar haar haar en stond toen op. Ze sloeg het fotoalbum met een klap dicht, trok het snel naar zich toe en legde het toen op het dressoir.

'Dat is Joost met de kleine,' zei ze. 'Doe je hemd in je broek, vader.'

Ze liep naar de hondenmand, trok het beest aan zijn halsband omhoog en sloot hem op in de keuken.

'Waarom doet u dat,' vroeg hij. Het was zijn hond.

'Doe dat hemd nou in je broek,' zei ze. 'Jakob is bang voor hem.'

Niemand zei ooit de waarheid. Altijd smoesjes.

Hij keek omlaag. Inderdaad. Moeizaam propte hij het lichtblauwe overhemd in zijn broek.

De vrouw had hem vader genoemd. Maar vader was allang dood. Ze moest in de war zijn. Daar zag ze ook naar uit. Zenuwachtig, een beetje afgetobd.

Hij keek door het raam naar de voortuintjes van de huizen aan de overkant. Toen hij stemmen in het halletje hoorde draaide hij zijn hoofd om.

Hij zag een jongeman met een klein kind op de arm, een jongetje, de kamer binnen komen.

89

Die man met dat kortgeknipte haar was dus Joost. Ook Joost noemde hem vader en gaf hem een hand. Het kind heette Jakob en moest opa tegen hem zeggen, iets wat het hardnekkig met zijn hoofd schuddend weigerde. Zeer terecht. Hij glimlachte het kind bemoedigend toe en vroeg toen hoe oud het was.

Het jongetje keek hem lang aan. Het had verschrikkelijk grote lichtblauwe ogen waar hij niet lang in kon kijken.

Het kind zweeg en de vader informeerde of het soms zijn tong verloren had.

Hij keek het jongetje aan, lachte toen en stak zijn tong uit. Dat vond het kind leuk. Het deed zijn mond open en stak ook zijn tong uit. Hij schrok. Het kind miste twee voortanden in zijn bovengebit. Een heel gat.

'Hij heeft van boven geen tanden meer,' zei hij, wijzend.

De vrouw met het grijze haar schudde meewarig haar hoofd, alsof hij iets heel stoms had gezegd. Wat dacht dat wijf eigenlijk wel!

'Kijk zelf dan,' snauwde hij.

'Hij is aan het wisselen,' zei ze.

Hij keek snel op het tafelkleed voor zich om niet te laten merken dat hij dat woord niet begreep. Hij had zichzelf eens in een spiegel gezien op het moment dat hij zich een woord te binnen wilde brengen. Een verschrikkelijk gezicht. Hij schudde met kracht zijn hoofd. Wilde daar niet meer aan denken.

De vader had het kind op de grond gezet. Het leunde tegen het boekenkastje. Het keek nog steeds naar hem, met die ogen waar hij duizelig van werd. Zijn handen grepen automatisch de leuningen van zijn stoel vast.

'Kom eens hier,' zei hij uitnodigend en legde zijn handen plat op zijn knieën.

Het jongetje verroerde zich niet. De vader stond op, liep naar het kind toe en duwde het in zijn richting. De grijze vrouw stond voor het raam.

Het kind was nu vlak bij hem. Hij zou het kunnen aanraken. In plaats daarvan stak hij zijn tong maar weer eens uit. Maar nu vond het kind het opeens niet meer leuk. Het deed een gehaaste stap naar achteren en struikelde bijna over de krantenbak. Ook kinderen waren moeilijk te begrijpen.

'Ik moet zo nodig,' zei het.

'Ik ook,' zei hij. 'Kom, dan gaan we samen.'

Nu draaide de vrouw bij het raam zich met een ruk om. Weer zei ze, een beetje dreigend nu: 'Vader!'

Daarom bleef hij maar zitten, terwijl het jongetje aan de hand van zijn vader in de gang verdween.

Maar hij moest echt nodig.

'Ik sta op springen,' zei hij tegen de vrouw die gebukt theekopjes uit het dressoir pakte.

'Je wacht maar even,' zei ze zonder op te kijken. Ze zette de kopjes op tafel.

Waar had hij dat nu weer aan te danken. Zo'n rotwijf. Dan moest ze het zelf maar weten!

Toen het kind de kamer binnen kwam bleef het op de drempel staan. De vader leek in het halfdonker van de gang sprekend op oom Arthur. Dat hij dat niet eerder had opgemerkt. Het kind wees met uitgestrekte arm en een kleine, rechte vinger. Het wees op hem.

'Hij heeft in zijn broek gepiest.'

De vrouw stond zo abrupt van tafel op dat haar knieën tegen de tafelrand stootten. De kopjes rinkelden. Tranen van pijn schoten in haar grijze ogen. Haar stem klonk vreemd, hoger, ijler dan zo straks.

'Het is maar beter dat je gaat nu,' zei ze tegen de man in de gang. Het was oom Arthur.

'Dag oom Arthur,' zei hij en wuifde vanuit zijn stoel. Oom Arthur wuifde langzaam terug. Zo had oom Arthur altijd gewuifd, heel langzaam. Omdat dat deftig was. En deftig was oom Arthur.

Het jongetje had zich omgedraaid. De vrouw met het grijze haar liep naar het kind toe en duwde het steeds verder de gang in, steeds verder van hem vandaan. Dat zag hij best.

Hij keek om zich heen. Hij was helemaal alleen in de kamer. Het dressoir. Het boekenkastje. De lege scheefstaande stoelen met hun bolle mosgroene zittingen. Hij had het koud.

Hij stond op en maakte de keukendeur open. De hond bleef in de deuropening staan.

Hij ging weer zitten en tikte met één hand op de natte rechterpijp van zijn broek.

De hond kwam voorzichtig dichterbij en schoof zijn kop op zijn schoot. Hij legde zijn hand op zijn kop. De hond snoof luidruchtig. Hij deed het na. Eén, twee keer. En plotseling rook hij het ook.

De varens in de hoek van de tuin waartussen hij gevlucht was. Zo hoog waren ze dat niemand hem daar kon zien zitten. Gehurkt wreef hij zijn hete gezicht tegen de vochtige zachtgetande bladeren. Omdat hij zijn moeder huilend aan tafel had aangetroffen. Oom Arthur dood. Heel plotseling. Haar handen die los van haar lichaam leken te komen, eerst even rondfladderden boven tafel en zich toen krampachtig in het tafelkleed vastklauwden. Gevlucht was hij met bange blauwe ogen voor haar handen, dat huilen, voor de zekerheid dat zij daarbinnen nu ook spoedig zou sterven van verdriet.

Hij hoorde de voordeur slaan. De grijze vrouw kwam de kamer binnen.

'Oom Arthur is dood,' zei hij zacht en hij voelde dat hij zijn tranen niet langer kon bedwingen.

Ze keek hem even aan, haar hoofd heel stil, vol rimpels lopend, en schoof toen langs hem heen naar het raam. Ze wuifde.

Woedend duwde hij de hond weg.

'Doe niet zo stom, mens,' siste hij. 'Je weet het toch. Je weet toch wat er gebeurd is.'

Ze draaide zich om. Alweer leek ze ouder geworden.

Hij wees naar het dressoir.

'Geef me het album,' zei hij. 'Dan zal ik je alles vertellen over oom Arthur.'

Ze bewoog zich niet. Keek hem alleen maar vanuit dat voor hem zo onhandelbare verdriet aan.

'Ik weet het,' zei hij toen, bijna voor zich heen. 'Ik weet heus wel dat ik het kind van Arthur en van jou ben.'

Hij strekte zijn handen naar haar uit.

'Ik hou van je,' zei hij.

Langzaam kwam ze op hem toe lopen.

'Ik ook van jou,' antwoordde ze.

Het washandje

Zijn vader en zijn moeder, lang geleden waren ze kort na elkaar overleden. Beiden aan een hartaanval.

Het zag er niet naar uit dat hij er zo makkelijk van af zou komen. Zelfs een spectaculaire manier van verscheiden, zoals Aeschylus, die van een arend een schildpad op zijn kop gemikt kreeg, of Anakreon, die stikte in een druivenpit, was niet voor hem weggelegd. Hij had gewoon de ziekte van zijn tijd, kanker.

De doktoren en zusters waren een beetje bang voor hem. Ze kenden zijn kop uit de krant, al hadden ze natuurlijk nooit iets van hem gelezen.

Toen een arts, na lang aandringen van zijn kant, vertelde waarom hij altijd zo'n maagpijn had, had hij de bedrukt kijkende dokter (het had zijn zoon kunnen zijn) hartelijk toegevoegd dat ze dan met hem in ieder geval geen vergissing meer konden begaan. Hij had een gezond wantrouwen in de medische stand waarin hij alle patiënten op zaal liet delen, zodat ze hem algauw apart hadden gelegd omdat hij, zoals ze zeiden, zo op zijn rust was gesteld. Dat had hij in ieder geval bereikt.

In dit kleine witte kamertje met uitzicht op een van de tuinsteden waarmee de stad omringd was, kwamen de paar vrienden die hij nog over had, de paar die zich nog zonder hulp van stokken of wagentjes konden verplaatsen, hem opzoeken.

Ze vermaakten zich met het bedenken van een geschikte laatste zin waarmee zijn curriculum vitae zou kunnen worden afgesloten. Zij, Peter en Fritjof, zouden er dan wel voor zorgen dat die laatste woorden van hem in omloop kwamen.

Peter, die onlangs, vanwege zijn tremor, met schilderen had moeten stoppen, stelde voor: 'Goddank, ik ben bijna beter' (waarin het aforistisch klinkende 'het leven is een ongeneeslijke ziekte' lag besloten). Maar het christendom zei hem niets en het leven had hij nooit als een ongeneeslijke ziekte, hoogstens als een onbetaalbare grap ervaren.

Fritjof, in de zeventig, en dus de oudste van hen, riep de stervende schrijver de laatste woorden van Lady Montagu in herinnering. 'It has all been very interesting.'

Iets in die geest, had hij beaamd. Alles onder controle. Tot op het laatste ogenblik.

Maar die luchthartige, spottende middagen leken hem nu onwerkelijk toe. Zijn enige werkelijkheid was nu de pijn. Soms was die zo hevig dat hij zelfs niet meer aan denken toekwam. Soms wist hij niet meer waar hij was. De tijd liet hem in de steek. De woorden waarmee hij het leven op een afstand had gehouden ('gedresseerd' noemde hij het zelf) zakten weg, werden opgevreten door de pijn die doortrilde in een soort blikkeren dat hem soms totaal verblindde. En dan weer leek hij weg te druipen in het bed, zijn vorm te verliezen en schoten zijn benen met een schok omhoog, zodat hij zijn ogen van ontzetting sloot en zijn handen stijf tegen zijn borst gedrukt hield. Hij huilde van onmacht en woede om zijn afgang en graaide naar iets buiten die pijn tot hij, per ongeluk of niet (of kwam de verpleegster uit zichzelf), het belletje raakte met een van die lukrake bewegingen en hij weer achterover werd geduwd, uit elkaar gevouwen als een hoop vodden, een hobbezak waarin de zuster de naald met morfine liet verdwijnen.

Fritjof en Peter zaten naast het bed van hun vriend die in een coma was geraakt. Twee oude mannen met een derde in een hoog wit ziekenhuisbed tussen hen in. Een ziekenhuis aan de rand van de stad waar de schrijver zijn hele leven had gewoond. Soms keek een van hen even naar buiten. Ze zeiden niets. Een hele tijd bleef het stil. Peter had een krant bij zich die hij zo nu en dan krakend open- en weer dichtvouwde. Pas nadat een zuster hun op haar tenen lopend een kopje thee had gebracht zei Fritjof dat zij er niet tijdig genoeg uit gekomen waren, uit die laatste woorden dan. Peter knikte. Zijn handen trilden. De schrijver leek de afgelopen weken niet alleen magerder maar ook kleiner geworden. Gekrompen. Door de morfine vertoonde zijn gezicht de illusie van rust, van diepe slaap.

Om de beurt maakten zij een washandje in de wasbak nat en legden het op het voorhoofd van de stervende, waardoor de schrijver, vanbinnen, het gevoel kreeg alsof hij een golf was, een golf die wegebde en weer terugkwam en in die deining werd hij langzaam naar een kust gevoerd, een lange strook zand met badstoelen, houten limonadetentjes en spelende kinderen.

Hij stapte uit het water en liep naar de plek waar zijn ouders in rieten strandstoelen naast elkaar zaten. Hij ging vlak voor de beide stoelen met gekruiste beentjes in het zand zitten en liet de fijne harde korreltjes tussen zijn vingers door glijden. Boven zich hoorde hij hun stemmen. Ze praatten tegen elkaar, bedaard, met soms in een plotseling vallende stilte het krakend omslaan van een krant.

Enkele woorden begreep hij. De meeste niet. De taal zat al in zijn mond, speelde al met zijn tong, maar hij kon er nog geen voor zijn ouders herkenbare klanken mee produceren. Van louter inspanning bewoog hij zijn hoofd heen en weer en doopte het toen voorovergebogen in het water van een van de plassen die de vloed op het strand had achtergelaten. Zijn lippen maakten bubbelende geluidjes tegen het wateroppervlak en toen hij zijn ogen weer opendeed, zijn wangen fris en schraal van het zeewater, zag hij een grote rode bal op hem af komen. Met beide handen greep hij de bal vast, hief hem triomfantelijk boven zijn hoofd en gooide hem uit alle macht terug terwijl zijn mond wagenwijd openging.

Het ademhalen was opgehouden. De beide oude mannen stonden naast elkaar aan één kant van het bed met hun rug naar het raam. Het linkeroog van de schrijver zakte open. Peter keek in de lege pupil. Hij drukte het ooglid weer over het dode oog heen. Fritjof liep met het washandje naar de wasbak, wrong het uit en hing het toen over de zijkant.

'We zullen maar eens een zuster waarschuwen,' zei Peter.

'Ja,' zei Fritjof.

Hij liep nog een keer naar het bed en keek.

'Ik begrijp het nog steeds niet,' zei hij. 'Jij?'

'Hij heeft nooit geweten dat wij de laatsten waren,' zei Peter. 'Min of meer bij toeval.'

Fritjof liep naar de deur. Peter vond hem plotseling heel zwaar en breed geworden, uitgezakt.

Ze schuifelden over het glimmende linoleum

van de ziekenhuisverdieping naar de zustersloge.

'Het was net of hij nog wat zei,' zei Peter. 'Op het allerlaatst, toen hij zo met zijn armen zwaaide en zijn mond wijd openging.'

Fritjof knikte alleen maar. Ze liepen de zustersloge in.

Een kwartier later gingen ze met de lift naar beneden. Door de glazen toegangsdeuren, die zich automatisch voor hen openden, verlieten zij het ziekenhuis. Ze liepen samen naar de bushalte aan de overkant. Een tijd lang keken ze naar de sportvelden achter het wachthuisje. Toen kwam lijn 68 eraan, Fritjofs bus. Peter moest met de 53. Die woonde weer aan een heel andere kant van de stad, al leken de flats waarin ze bij elkaar op bezoek kwamen precies op elkaar. Peter wuifde de bus na waarin Fritjof verdween. Hij draaide zich om en keek naar de twee hoge torenflats van het ziekenhuis. Het was eind mei, maar nog verrekte koud.

Toen zijn bus kwam wachtte de chauffeur beleefd in zijn achteruitkijkspiegel omhoogkijkend tot hij een plaatsje gevonden had. De bus kwam sissend en schokkerig in beweging. Hij keek door het busraam naar de sportvelden.

Uit een hemelsblauw geschilderde kantine kwam een jongetje met een voetbal het veld op hollen en gooide hem de lucht in. Samen met het jongetje volgde hij de baan van de bal door de lucht. Toen de bal de grond raakte, maakte de bus een bocht naar rechts en benam hem zo het uitzicht op kind en bal.

Hij sloot zijn ogen. Hij moest tot het eindpunt mee. De chauffeur zou hem daar wel wakker maken.

Het begin van tranen

Een gestameld verhaal, een half oor en daarna een recept. Hij had het proberen uit te leggen aan de donkere man achter het afgetrapte bureau. Maar de dokter was vijfendertig. Hij kon het onmogelijk begrijpen.

'Hoort u ook stemmen?'
'Stemmen? Nee.'

Thuis had hij het woord waarmee de dokter zijn diagnose had gesteld voor alle zekerheid in het woordenboek opgezocht.

'Zinsbegoocheling, het gewaarworden (inz. door het gezicht of het gehoor) van in werkelijkheid niet voorhanden zaken.'

In werkelijkheid niet voorhanden. Hij had naar de strips roze pilletjes gekeken en het doosje daarna in zijn bureaula opgeborgen.

Er gingen dagen voorbij van volstrekte roerloosheid. Half aangekleed zat hij aan tafel, als was hij deel van het interieur. Uit de radio kwamen stemmen. Op het dressoir weerkaatste het flakkerende televisiebeeld in haar ingelijste foto.

Hij had afgedrukt op het moment dat er een afwezig lachje rond haar mondhoeken krulde. Hij wist waar ze toen naar gekeken had, maar de camera had niets anders gedaan dan haar gestalte registreren: alle afzonderlijke haren, alle bij elkaar gekropen sproetjes op haar blote bovenarmen, de afleesbare tijd op haar polshorloge. Ellen.

Je vertrouwt erop dat de ander ook buiten je gezichtskring blijft doorleven. Nu kwam dit vanzelfsprekende vertrouwen in de continuïteit van het leven hem naïef voor, onvoorstelbaar. Zoiets als het geloof in een hiernamaals.

Dokter Hijmans was de enige aan wie hij het verteld had. Het had op de beschrijving van een spiritistische seance geleken, maar dat was het allerminst. Terwijl hij vertelde had hij naar de rij zwarte cijfers op een kalender gekeken, die achter het bureau van de dokter aan de muur hing. Zijn blik stokte bij de twaalfde september. Hij hoorde zijn stem verder gaan. Woorden, woorden; monotoon, bijna fluisterend uitgesproken.

Hij was als een boom geweest, niets wetend van de fatale storm die hem boven het hoofd hangt.

Dat niet-weten was zijn geluk geweest. Dat lag nu achter hem. Daarom kon hij niet meer verder.

De telefoonhoorn nog in zijn hand. Twee kinderen liepen onder het open raam met hoge stemmetjes pratend voorbij. Hij kon de woorden die net door de telefoon tot hem waren gekomen niet meer terugsturen. Ik had niet op moeten nemen. Toen had hij de hoorn neergelegd.

De begrafenis was hem uit handen genomen. Een paar keer had hij zijn handtekening moeten zetten. Hij zag zijn naam aarzelend en traag uit de pen vloeien. Fredrik van der Steen. De gezichten van kennissen en buren, die hem met hun overdreven bewegende monden sterkte toewensten. Discreet gerinkel van kopjes op schoteltjes. Deuren die zich met een zoemend geluid achter hem sloten. In en uit auto's stappen. Zijn sleutel in het slot schuiven, omdraaien. En de wereld die voortbewoog in een vloedgolf van geluiden en hem hier in de stilte van zijn huis achterliet, als een op het strand geworpen drenkeling.

Hij was aan tafel gaan zitten en had naar zijn wijd gespreide vingers op het tafelkleed gestaard.

Tussen zijn rechter wijsvinger en duim begon een spiertje te trillen. Hij kon het niet in bedwang houden, de spier bewoog daarbinnen buiten zijn wil om. Hij had eens ergens gelezen dat een van de belangrijkste functies van de hersens het stilhouden van het lichaam was. Een rem die pas werd losgelaten als je een beweging wilde maken. Nu zat hij roerloos aan de huiskamertafel en keek naar de trillende spier, verborgen in zijn op het tafelkleed liggende hand.

Hij had altijd gedacht dat de toekomst een menselijk bedenksel was, niet meer dan een idee. Niet in de werkelijkheid voorhanden. Nu merkte hij hoe het was om zonder toekomst te leven. Zijn lichaam was niet langer naar buiten gericht, het ging nu alleen nog bij zichzelf te rade. Zoals een teennagel het vlees in groeit.

De motieven in de pers begonnen te bewegen. Zijn handen grepen de tafelrand. Ook als hij zijn ogen sloot ging het bewegen door. Het was alsof een hand hem tussen de motieven tegemoet schoot.

Ja, het was haar hand die hij daar in de richting van het lege koffiekopje zag bewegen. Hij legde het op zijn kant op het schoteltje. Dat leek te helpen, alsof de hand het kopje in deze stand niet meer herkende.

En toen zag hij Ellens lippen. Ze stulpten zich zo verlangend voor hem in de ruimte dat hij het kopje weer recht op het schoteltje plaatste, toekeek hoe de samengetrokken kerfjes in haar bovenlip het gouden randje beroerden. Zijn hand was naar het kopje gegaan en de lippen hadden zich teruggetrokken, waren ijlings opgelost.

Hij stond met de kop en schotel in de keuken en wilde ze in het gele afwasteiltje leggen toen hij de schaduw van haar hand naast het blinkende handvat van de ijskastdeur gewaarwerd. Nee, een schaduw was het niet, daarvoor was de hand te echt, te gedetailleerd, met de licht afgeschilferde roodgelakte nagels. Het was ook geen losse hand, maar een die de rest van een lichaam suggereerde, alsof zij van achter een onzichtbaar gordijn naar hem uit werd gestoken, hem lokte. Hij omklemde het handvat zo hard dat zijn knokkels er wit van wegtrokken.

Sprakeloos had hij een ogenblik naar een pakje hamblokjes gekeken. In blokjes gesneden varken, vierkant, anoniem vlees.

Hij had geprobeerd aan haar lichaam te denken, herinneringen aan haar op te roepen, de allerintiemste en meest volledige die hij bezat. Maar de herinneringen bewogen niet. Hij zag een soort foto's, door een ander genomen en daarom lijkend op pornografie. Wat wel bewoog was zijn lichaam. Nu niet alleen de spier in zijn rechterhand, ook in zijn linkerkuit en ergens in zijn linkerschouder begon het te bewegen. Alsof daarbinnen iemand zat die met alle geweld naar buiten wilde.

Dat had hij de dokter niet verteld. Omdat het belachelijk geklonken zou hebben. Alsof hij opgesloten zat in een steeds stuurlozer lichaam. Hoe moest iemand anders zich dat voorstellen? En wie was die 'hij' dan wel?

'Woorden schieten tekort.' Iemand op de begrafenis. Hij had naar slap afhangende kastanjebladeren gekeken toen een vrouwenstem die woorden ergens in de hem omringende ruimte uitsprak. Het was nog erger. Er waren hem juist niets dan woorden gebleven, woorden waarmee hij niet bij zijn verdriet kon komen. Te harde korst. Hij werd gedwongen met de woorden mee te denken, in een tijd waar hij niet langer deel van uitmaakte. De verachtelijke gedachten gingen hun eigen gang, bezetten zijn hoofd tot in de kleinste uithoeken, als een hoop krioelende mieren, gedreven door een richtingloze razernij. Onder de korst was het doodstil. Daaronder bewoog soms iets. Daar ergens moest het echte verdriet zich schuilhouden.

Hij hield de telefoon in zijn hand, had niet geantwoord op de stem die vroeg of hij er nog was. De stem had gezegd dat er iemand onderweg was om hem op te halen.

De jonge agenten hadden hem als eersten ge-
condoleerd. Hij had gevraagd of ze hun sirene
wilden uitzetten.

In het mortuarium van het ziekenhuis lieten ze hem met haar alleen. Hij had in zijn leven
meer doden gezien; zijn vader, zijn moeder, een
in Zwitserland verongelukte jeugdvriend. Maar
Ellen was geen dode. Pas toen hij haar aanraakte overspoelde het besef hem. Een kort ogenblik
beefde hij, alsof hij onder stroom stond. Toen hij
zich omdraaide kraakten zijn schoenen vervaar-
lijk.

In de hal van het ziekenhuis wachtten de agenten hem op. Ze vroegen of hij zijn vrouw herkend
had. Of het lichaam 'aan de overledene toebe-
hoorde', zoals de langste van de twee het formu-
leerde. Hij knikte. De ene agent schreef iets op,
de ander haalde koffie. Ze vertelden hem waar
zijn vrouw aan een hartaanval was overleden. Er
was binnen vijf minuten een ambulance ter plekke geweest, maar toen was het al te laat. Acute
hartstilstand. Hij knikte, gaf ze plichtmatig een
hand. De koffie liet hij staan.

De vrouw in de boekhandel friemelde zenuwachtig aan haar rode opgestoken haar. Ellen was binnengekomen en had naar een titel van een Japan-
se schrijver gevraagd: Kawabata. Dat boek was

uitverkocht. Daarna had ze nog wat rondgekeken, zo nu en dan een boek uit de kast getrokken en erin gebladerd. En opeens was ze toen in elkaar gezakt, daar, een boek in haar hand.

De vrouw probeerde zijn hand te pakken maar tastte in haar zenuwen mis. Achter hen sloot iemand de kassala. Toen vroeg ze of hij dat boek misschien mee wilde nemen. Ze liep naar de toonbank. Hij keek naar de gele letters op het zwarte omslag en schudde zijn hoofd.

Een mens van zijn lichaam scheiden, dat ging niet. Zelfs weken later niet. Ze lag daar maar, klaar om op te staan, zijn uitgestrekte hand te pakken en verder te leven, samen met hem. Hij zat aan tafel. In zijn hand bewoog de spier. Iemand.

Haar handen waren in de dingen gevaren. Haar vingertoppen tipten aan borden en pannen, namen de stofzuiger van hem over, zodat hij de slang verschrikt op de grond liet vallen. Vanuit de keuken luisterde hij met kloppend hart naar het blinde voortrazen van de stofzuiger in de huiskamer. Onder het rijtje theedoeken aan hun haakjes naast het fornuis begon iets te bewegen dat hem verdreef, de gang in tot voor de spiegel. Een van haar zwarte handschoenen hing met de lege vingers naar beneden over het hoedenplankje van de kapstok. Voor de handschoen zich in de

spiegel zou kunnen vullen vluchtte hij de voorkamer in, keek naar de brede bladeren van de ka-
merlinde waarin haar eerste sproetjes opkwamen.
Hij stak alle lichten aan, riep de radio te hulp. Hij
hoorde allerlei stemmen, die de hare niet konden
overstemmen. Tijdens het koken stond ze steeds
in zijn buurt, liet een pollepel los net voor hij die
uit het rek wilde pakken. 's Avonds legde hij uit
gewoonte een katern van de krant in haar stoel,
hoorde haar dan met de bladzijden ritselen terwijl zijn ogen nietsziend langs de kolommen gle-
den.

Alleen 's nachts, in het donker, had hij rust.
Met zijn rug naar het lege bed tuimelde hij iedere
avond in een comateuze slaap.

Op een ochtend hoorde hij haar in het door de
afvoer wegstromende badwater praten. Geen
woorden, alleen de buigingen van haar stem, ten
slotte overspoeld door het diepe rochelen van het
laatste restje wegkolkende water. Op het rooster
van de afvoer bleef een gekrulde haar achter. Hij
droogde zich hardhandig af. Nadat hij zich had
aangekleed was hij begonnen haar lotions, haar
flesjes nagellak en potjes met crème in een plastic
zak te stoppen. Uit het zicht. De rest van de dag
had hij naar de televisie gekeken. Dat was tenminste een wereld waarin zij niet voorkwam.

Boodschappen deed hij nu in winkels ver uit de

buurt. Plichtmatig liep hij over straat, zonder om zich heen te kijken. Pas als hij weer thuis was leefde hij op.

Vier weken na de begrafenis was er een brief voor haar gekomen. Hij keek verbaasd naar de envelop met de Canadese postzegel waarop een rendier stond afgebeeld, draaide hem toen om. Pat Green. De naam zei hem niets. Hij hield de envelop tegen het licht, maakte hem toen met het aardappelschilmesje open.

Uit de brief begreep hij dat Pat Green een schoolvriendin van Ellen geweest was, die haar adres van weer een andere vriendin gekregen had. Ze kwam binnenkort naar Nederland en wilde Ellen graag weer eens zien. Ze noemde de datum waarop ze haar intrek in een hotel zou nemen. Hij kende dat hotel wel.

Een dag na haar aankomst belde hij haar op. Ze sprak Nederlands met een Amerikaans accent. Mijn vrouw is overleden, zei hij. Het was de eerste keer dat hij dat hardop zei en hij schrok zo van de onomstotelijkheid van die mededeling dat hij begon te stotteren. Ik kom naar u toe, zei de stem aan de andere kant kordaat. Hij legde de telefoon neer en keek om zich heen. Hoe kon hij hier in godsnaam een andere vrouw ontvangen?

Pat was vier jaar ouder dan Ellen, negenenzestig. Ze had forse bovenarmen en dunne benen en haar polsen rinkelden als ze een gebaar maakte. Ja, ze was net als haar stem. Het verbaasde hem dat hij op al haar vragen antwoord kon geven, maar het ging. In taal leek hij het verleden de baas. Toen vertelde hij haar over wat in werkelijkheid niet gaande kon zijn, over het bewind dat Ellen over de voorwerpen in huis voerde, hoe haar spitse vingers door al zijn handelingen scheerden, hoe hij haar hakken een keer op de bovenverdieping had horen lopen, de welving van een heup tevoorschijn had zien komen uit de zijleuning van de bank. Pat had ernstig knikkend naar hem geluisterd, was toen opgestaan en rond de huiskamertafel gaan lopen.

Al lopend had ze hem verteld dat zij acht jaar geleden weduwe was geworden, hoe haar man Ed ook haar niet met rust had willen laten in het begin en hoe ze daar een halfjaar na zijn dood een einde aan had gemaakt door alles wat aan hem herinnerde weg te doen: zijn kleren, zijn schoenen, zijn boeken, zijn golfsticks – alles. Ze sprak alsof ze het over een vreemde had, rustig en een beetje monotoon, maar terwijl zij zo rond de tafel liep stroomden de tranen over haar wangen. Ze bleef maar praten, noemde alles op wat ze van hem had weggegooid, een eindeloze opsomming. Ten slotte pakte hij haar bij haar arm en zei dat ze moest gaan zitten. Dat deed ze, met een diepe zucht. Ik hield van hem, zei ze, maar een mens moet verder. Je moet ergens naartoe willen, zei hij.

Toen vertelde ze hoe ze Ellen had leren kennen. Maar dat ging over een andere vrouw, een meisje dat hij niet kende en waar hij ook eigenlijk geen belangstelling voor had.

Je moet je verdriet vanbinnen leren dragen, had ze gezegd. Alle voorwerpen die je aan haar herinneren moet je wegdoen, juist om dat innerlijke beeld te versterken. Je zult zien dat ik gelijk heb. Ze moet niet in voorwerpen, kleren en foto's verder leven, maar hier. En daarbij had ze op haar forse boezem getikt. Daar zit het werkelijke museum. Die beeldspraak was niet zo vreemd als je wist dat ze daar in Canada in een museum werkte.

De gedachte sprak hem aan. Ja, hij wilde een levend museum worden, waar hij al zijn herinneringen aan haar als kostbare schilderijen zou koesteren.

De dagen daarop was hij druk in de weer om alles wat van haar geweest was weg te doen, alle voorwerpen die haar naar zich toe leken te lokken in de vuilnisbak te gooien. Haar kleren en schoenen propte hij zonder ernaar te willen kijken in drie vuilniszakken die hij aan het Leger des

Heils meegaf. Hij rolde de pers op en zette hem buiten bij de vuilnisbak. Ook haar stoel, de twee-zitsbank, het dressoir, de strijkplank en kaptafel moesten weg. Zo zou hij zijn zinsbegoochelingen de pas afsnijden en zijn herinneringen aan haar de kans geven om in alle zuiverheid bezit van hem te nemen. Hij zocht een opkoper in de Gouden Gids. Ik wil er niets voor hebben, zei hij, als u het maar meeneemt. In een leeg huis bleef hij ach-ter. In zijn voorhoofd klopte een ader en het was alsof iemand hem vanachter ruw bij zijn schou-ders vasthield. Maar dat kwam natuurlijk van al dat sjouwen.

Het tafelblad voor hem zat vol kringen. Kopjes en glazen, wie weet hoe lang geleden daar neer-gezet. Op de plek waar de bank had gestaan was de vloerbedekking lichter van kleur. Hij keek naar de bleke rechthoek. De leunstoel in de hoek had vier diepe putten achtergelaten en op de plaats waar het ouderwetse dressoir had gestaan, dat nog van Ellens moeder was geweest, openbaarde zich een grillige donkerbruine vlek waarvan hij zich de herkomst niet kon herinneren. Sporen die nergens heen leidden.

Hij lag in bed. Zijn hart bonkte, het bloed prikte in zijn vingertoppen en die greep rond zijn schou-ders bleef. Hij kon niet slapen. Andere mensen huilden. Hij kon zich zelfs niet herinneren wanneer hij voor het laatst gehuild had. Hij betastte zijn buik, zijn dijbenen onder het laken. Niets heb ik te vertellen over wat zich hierbinnen afspeelt, dacht hij. Mijn hoofd is een kamer waar het licht niet meer uit kan. Kale schaduwloze wanden die pas in het ochtendlicht wegtrokken. Hij luisterde naar de eerste vogels. Zijn zintuigen registreerden blindelings een wereld waarin hij zelf niets meer te zoeken had. Een mens moest verder, had Pat Green gezegd. Zijn lichaam ja, dat wilde opstaan omdat het naar de wc moest, maar zelf wilde hij hier liefst zo blijven liggen, met wijd open ogen starend naar het spierwitte plafond. Hij begreep waarom mensen het over uittreden konden hebben. Alleen trad je niet uit je lichaam, maar trad je lichaam uit jou, het liet je daar alleen op bed achter: stuurloos en zonder vorm.

Hij keek naar de bruine vlek op de plek waar het dressoir had gestaan. Daar moest ooit iets zijn omgevallen: een pan, een vaas; lekkage soms?

Verdwenen gebeurtenissen. Hij zag haar voor het dressoir knielen, haar knieën tegen elkaar gedrukt, hij hoorde het sissende geluid waarmee de twee glasplaten langs elkaar schoven.

Verdwenen meubels. De opkoper en zijn maat, een jongen met pukkels en een dunne snor, hadden ze het huis uit gedragen. Voor de deur stond een kleine vrachtwagen. Meeuwis Rommelparadijs. Hij keek naar de lege straat, naar een paar voorbijgangers die scheef tegen de harde wind optornden.

Meeuwis Rommelparadijs was gevestigd in een grote hal in het oosten van de stad. Achter de hal graasden twee pony's op een braakliggend terrein. Voor in de hal was een hokje afgetimmerd waarin een man met een schipperstrui een beker koffie voorzichtig blazend naar zijn mond bracht. De man keek even op, maar reageerde verder niet. Hij liep de enorme hal binnen.

Enige orde kon hij in de overal in het rond staande meubelstukken niet ontdekken. Een spierwitte ijskast staarde naar een boekenkast vol sportbekers. Een kolenhaard met kapotte mica-ruitjes werd geflankeerd door twee ladenkastjes. Een blaasbalg hing aan een van de takken van een in een bedspiraal vastgehaakt hertengewei. Een kinderwagen met spaakwielen stond volgestapeld met grammofoonplaten. Hier en daar leken de lukraak bij elkaar gezette meubels een interieur te suggereren, maar steeds zorgde een dissonerend object voor verstoring. Zo werd de rust van een compleet slaapkamerameublement met nachtkastjes en een schemerlamp met groene franje wreed doorbroken door een binnenmarcherende stoet Singer-naaimachines van het oude trapmodel en hadden een zwarte kofferschrijf-machine en een broodrooster de plaats van de hoofdkussens ingenomen.

Het rook in de hal naar stof en muffe kleren. Ergens tussen de meubels speelde een radio. Iemand sloeg een paar tonen aan op een onzichtbare, ontstemde piano. Waarom zocht hij naar zijn eigen meubels? Had hij te haastig afscheid van ze genomen? Een moment dacht hij de beige leunstoel te herkennen waarin zij meer dan dertig jaar gezeten had, maar de armleuningen van deze stoel waren rond, niet plat. Hij keek naar de stoel met zijn vettig geworden zitting. Ook deze was afkomstig uit een huis, ook hierin had eens iemand gezeten, gedacht, gebaren gemaakt naar andere mensen in een kamer. Hij keek om zich heen. Even was het alsof deze meubels, wandspiegels, bedden en gebruiksvoorwerpen allemaal tegelijk zijn aandacht opeisten, allemaal tegelijk hun eigen verhaal wilden vertellen. Ieder ogenblik konden ze losbarsten in een orkaan van anekdotes.

Hij draaide zich snel om en keek naar het dak van de loods waar een rij kristallen kroonluchters zachtjes rinkelde op de tocht. Op weg naar de uitgang zag hij een blonde vrouw peinzend staan staren naar een prullenbak waarop een konijn stond afgebeeld.

Ook dit was een museum. Alleen bestond er geen catalogus van. Haastig liep hij naar de uit-

gang en verliet het rommelparadijs. De wind ruk-
te aan zijn haren.

Nergens in de keuken kon zij nu nog houvast vinden omdat er in de werkelijkheid niets meer voorhanden was. Leeggeruimd. Compleet. De keuken
was altijd haar domein geweest. Hij sloot het dek-
sel van het fornuis, trok zijn jas aan en ging naar
een restaurant in de buurt.

Twee mensen die tegenover elkaar aan tafel zitten. De man schatte hij iets ouder dan de vrouw
met het recht afgeknipte blonde haar: een jaar of
veertig. Tussen hen in stond een vaasje met een
plastic roos. De man keek over de kruin van de
vrouw de ruimte in.

Hij keek naar zijn rechterhand, rustig en stil
nu. Maar nu trok zijn maag zich samen, alsof zijn
lichaam zich bij voorbaat tegen het opnemen van
voedsel verzette. Maar ík heb honger, dacht hij
protesterend en bestudeerde de menukaart.

Even later zag hij hoe de man en de vrouw allebei een garnalencocktail kregen. Hij zag hun
monden open- en dichtgaan, zag het rozige voedsel tussen de tanden door glibberen en via de
slokdarm wegzakken in de maag. De man at traag
en zorgvuldig, de vrouw leek nauwelijks te kauwen. Ze zeiden niets tegen elkaar. Twee mensen
die zwijgend tegenover elkaar zaten, hun stilte zo

intens dat je haar als een koude mistvlaag langs je wangen voelde strijken. Binnen in hun lichamen woedden woorden, onuitgesproken verwijten, vanbinnen zaten ze vol dromen en haat. De man schraapte het glas zorgvuldig met zijn lepeltje schoon, de vrouw keek er vol verachting naar.

Hij voelde de hapjes tong bij zichzelf naar binnen glijden, de witte wijn er haastig langs spoelen en als eerste zijn slokdarm bereiken, met een aangenaam licht opvlammend gevoel. Hij keek het restaurant rond. De kok zou ons open kunnen snijden, onze organen soort bij soort kunnen leggen en niemand zou nog weten wat van wie was geweest.

Alleen het sterven hoorde de mens toe, niet de dood. Het was een drempel die je niet over kon. Hij herinnerde zich het lijden van zijn moeder, haar smalle hoofd met de uitpuilende ogen, zijn verontwaardiging dat de wereld om haar heen onverschillig voor haar lijden bleef, het licht dat maar onbarmhartig binnen bleef vallen in die ziekenhuiskamer. Uren had hij bij haar bed gezeten terwijl de morfine traag zijn werk deed. Een voor een waren blaadjes van een bos tulpen naast haar bed op het nachtkastje gevallen, alsof de bloemen haar wilden helpen bij het sterven. Maar dat was goedkope beeldspraak, slechte poëzie.

De man en de vrouw schuin tegenover hem keken elkaar nu aan, maar het was de vraag of ze elkaar zagen. De naar hem toegekeerde wang van de vrouw trilde licht. Vroeger zou hij zoiets niet hebben opgemerkt. De man noemde plotseling haar naam. Alice. Ze reageerde niet, alsof dat haar naam niet was. Alice, zei de man nog eens en legde toen zijn hand op haar pols. De vrouw keek naar de hand van de man en trok haar geëpileerde wenkbrauwen op. Ze zuchtte even, nauwelijks hoorbaar en schudde toen haar hoofd.

Bij iedere zijstraat leek de wind uit een andere richting te komen. Hij beet een druivenpitje tussen zijn tanden kapot. Er waren weinig mensen op straat. Hij trachtte hun doelbewuste tred na te doen, voelde zijn schoenen om zijn tenen knellen.

Het licht aandoen. Blindelings. De lege kapstok waar zijn jas zich als een slap vod over een haak plooide. Spiegel in de rug. Zijn schouders begonnen te prikken.

Hij keek de kamer rond. Alsof er inbrekers waren geweest. Toen slofte hij naar boven, ging zonder het licht aan te doen de slaapkamer binnen.

Zijn ogen verdichtten zich tot spleetjes, alsof hij zijn pupillen wilde dwingen te ontkennen wat hij daar zag. De deuren van de klerenkast stonden wijd open, de schoenenplank eronder was leeg.

Maar ze had zich niet samen met haar kleren en schoenen laten wegsturen. Ze liet zich niet verdrijven, niet zomaar uit de voorhanden werkelijkheid verwijderen.

Met haar rug naar hem toe lag ze daar in haar bed. Hij zag haar ademen, het donkere haar in een slordige krans op het witte hoofdkussen gespreid. Zijn kaken sloegen op elkaar, raakten toen weer los. Hij stond met gestrekte armen in de deuropening. Toen draaide hij zich om. Hij had verloren. Het huis was niet langer van hem.

2

De taxichauffeur keek schattend over zijn schouder. 'Er rijden geen treinen meer om deze tijd, meneer.'

'Ik zoek een hotel.'

De man zweeg even. 'In die buurt?'

Hij was er inderdaad lang niet meer geweest. Las er wel eens over in de krant. Berovingen van toeristen, verslaafden die reizigers lastigvielen.

'Brengt u me er toch maar heen.'

De chauffeur zweeg. Een toonloze harde vrouwenstem vroeg door de mobilofoon naar een nummer. Geen antwoord. Ze vroeg het nog een keer, licht geïrriteerd nu.

De neonletters boven de hotelingang trilden.

Of kwam dat trillen door zijn ogen? Hotel Eden. Hij betaalde en ging naar binnen. Achter de balie zat een dikke man met getatoeëerde armen in een poloshirt een kruiswoordpuzzel op te lossen.

De formaliteiten in dit hotel waren tot het uiterste teruggebracht. Vooraf betalen en als hij nog wat wilde drinken, de bar daar links bleef de hele nacht open.

Hij stopte de sleutel in zijn zak en liep in de richting die de getatoeëerde arm had aangegeven.

Een werkeloze fruitautomaat flikkerde hem met al zijn gekleurde lampjes tegemoet. Achter de bescheiden bar zat een vrouw met stroblond haar, haar benen over elkaar geslagen, haar nagels te lakken. Op een hoek stond een vogelkooi, bedekt met een blauwgeruite doek. Terwijl hij aan de bar ging zitten keek hij naar de kooi.

'Een beo,' zei de vrouw. 'Hij kan Donald Duck nadoen. Horen?'

'Nee, laat u maar,' zei hij. Hij bestelde een pilsje.

'Laat op,' constateerde de vrouw en schroefde het flesje met nagellak bedachtzaam dicht. De kleur van haar nagels kwam overeen met haar felrood gestifte lippen. Hij gaf geen antwoord omdat de woorden van de vrouw daar geen aanleiding toe gaven.

'Zoekt u iemand?'

'Nee,' zei hij. 'Ik zoek niemand. Ik ga op reis.'

'Dan bent u ruim op tijd.' De vrouw lachte meewarig. De fruitautomaat scheidde een elektronisch jingeltje af dat de beo onder de doek tot een kort commentaar verleidde. 'Echt niet,' zei ze, haar hand op de kooi leggend.

Hij schudde zijn hoofd.

'De eerste treinen gaan pas om half zes,' zei de vrouw.

'Ik weet het,' zei hij. Hij pakte zijn portemonnee en betaalde. Met de sleutel in zijn hand liep hij de trap op. De balie van het hotel was verlaten.

Het was een smalle kamer met een eenpersoonsbed. Het hoge betraliede raam keek uit op een blinde muur waar een lamp in een ijzeren beschermkap een vaal oranje licht verspreidde.

Hij kleedde zich uit en deed het licht uit. Hier zou ze niet komen. Ik ga op reis, had hij tegen de blonde vrouw gezegd. Nog geen tweehonderd meter van het station was hij. En waarom eigenlijk niet? Niets dat hem tegenhield.

Hij draaide zich op zijn zij, met zijn gezicht naar de muur. Naar het noorden, dacht hij. Daar ben ik nooit geweest. Zelfs op de blinde kaart op school stonden nauwelijks zwarte stippen in dat gebied. Er woonden bijna geen mensen. Bossen en een enkel meer. En midden door het gebied liep het zwart-wit geblokte lijntje dat de aanwezigheid van een spoorlijn aangaf.

Iemand in een van de kamers van het hotel hoestte. Hij glimlachte. Niemand wist van zijn bestaan, hier, in dit smalle bed. Niemand kende zijn beweegredenen. Zelfs zijn lichaam liet hem met rust, gunde hem zijn slaap.

3

Twaalf uur zou de reis gaan duren. Het land was zo langgerekt dat de wegen in het uiterste noorden het van pure uitputting leken te begeven. Natuurlijk waren daar nog wel wegen en paden, maar die stonden niet op de kaart die hij in de stationshal gekocht had. Zo had hij zijn bestemming bepaald. De meest noordelijke stad van het land. Stad was een groot woord. Een paar jaar geleden was zij even in het nieuws geweest toen de laatste ijzerertsmijn van het land er gesloten werd.

Mensen sjouwden met koffers door het gangpad. Hij had niets bij zich. Een creditcard, wat contant geld. Hoe lang dacht hij in de noordelijke stad te blijven? Ik laat mij rijden. Zie wel.

Hij was zijn hele leven een nuchter mens geweest. Iemand van tabellen en balansen. Hij had jaaroverzichten gemaakt, prognoses voor het komende jaar op schrift gesteld. De zelfverzekerdheid van het zakenleven. De gebaren die daarbij hoorden, de afspraken, de lunches, vervuld van gelach en schouderklopjes. Het gevoel vat te hebben op het leven, een richting te bepalen. Dat alles was nu even onwezenlijk als de gedachte dat hij ooit een kind was geweest dat lopen noch praten kon.

Zijn lichaam welde omhoog en overspoelde zijn denken. Hij keek naar buiten in een poging houvast te vinden. De snelheid van de trein brak gebeurtenissen af: een rode postauto op een ventweg, twee meisjes op de fiets, hun schooltassen achterop gebonden. De lust om ze af te ronden tot een verhaal ontbrak. Schuin tegenover hem, bij de coupédeur, bladerde een kale man in zijn agenda.

Misschien was het anders geweest als hij nog had gewerkt. Dat hij de werkelijkheid dan beter op afstand had kunnen houden, zich niet zo weerloos gevoeld zou hebben tegenover al die hem van buitenaf aangereikte losse eindjes.

De man bij het gangpad borg zijn agenda weer op, zeker van zijn zaak. Een wolk spreeuwen stoof van een akker de lucht in, leek even uit elkaar getrokken te worden en verdichtte zich toen weer.

Een vlaag angstzweet trok vanuit zijn rug naar

zijn handen. Hij veegde ze woest aan zijn broek af. Wat betekende die kramp die nu langzaam door zijn armen naar boven kroop? Boven een kerktorentje in de verte ontlaadde zich een zwarte wolk in een gordijn van donkere regenstrepen. Hij kwam niet verder dan het benoemen van wat hij zag, alles bleef op zichzelf staan – een talud, een fabriek, een hoogspanningsmast – onwrikbaar en alleen in het landschap. Hij voelde zijn neus als een vreemd groeisel in zijn gezicht, pakte het tussen duim en wijsvinger beet en stelde zichzelf gerust: gewoon een neus, mijn eigen neus. Niets bijzonders.

Ook de nu in slaap gesukkelde man in de coupé had een hart, gedachten die nu langzaam de vorm van dromen aannamen. De man bewoog zijn rechtervoet, zijn linkerooglid trilde even heftig. Daarbinnen schoten de beelden over elkaar heen, trokken stormen door zijn zenuwstelsel, werkte zijn maag de laatste resten van zijn ontbijt weg, dat een jamvlekje net naast zijn zwarte das op zijn witte overhemd had achtergelaten. Hij wendde zijn blik af, alsof de slapende man hem plotseling al te nabij kwam.

De trein minderde vaart. De man in de hoek schrok wakker en stond toen gapend op om zijn koffertje uit het bagagerek te pakken. Het op de kaart aangekondigde stadje schoof met zijn moderne buitenwijken zijn gezichtsveld binnen.

Hij keek naar de lege plek die de man had achtergelaten. Misschien zou een warmtecamera zijn gestalte nog een paar seconden hebben kunnen vasthouden.

Zijn blik probeerde de reclameborden te vermijden. Hij wilde de betekenis van die grote kleurige woorden niet tot zich door laten dringen, wilde zijn gedachten er niet door laten leiden. Daarom liet hij zijn ogen naar gladde muren zoeken, glaswanden, de grove kiezels tussen de bielzen van het spoor aan de overkant van het perron. De coupédeur werd opengeschoven. Hij draaide zijn hoofd pas om toen de persoon in de coupé was gaan zitten, geen geluid meer maakte. Als ik blind was zou ik haar nu niet zien, ik zou mij alleen op grond van de geluiden die ze voortbracht een beeld van haar hebben moeten vormen.

Het meisje had rood haar, dat op leek te vlammen als de zo nu en dan doorbrekende zon even door het gangraam de coupé binnen scheen. Ze glimlachte plichtmatig toen hij haar aankeek. Zijn gestalte trok even haar bewustzijn binnen en werd toen terzijde geschoven, haar herinnering uit. Op dezelfde plek waar net de kale man gezeten had bukte ze zich om iets uit de handtas aan haar voeten te pakken. Hij hoorde haar een sigaret opsteken. Opnieuw keek hij haar aan, glimlachte bemoedigend als om haar te verzekeren dat hij geen bezwaar maakte.

Alhoewel Ellen nooit gerookt had, zat ze nu ontspannen in haar hoekje te roken. Hij observeerde zijn eigen opkomende hallucinatie met de blik van een buitenstaander. Hij zag hoe het in zijn werk ging. Zijn ogen modelleerden Ellens hoge jukbeenderen in het nietsvermoedende meisjesgezicht schuin tegenover hem, lieten haar lichtgestifte lippen licht zwellen en de oorlelletjes iets uitzakken. De borsten lieten ze ongemoeid, de hand die de sigaret vasthield werd iets kleiner en geaderder toen hij er langer naar keek. Maar halverwege haar lichaam trok Ellens verschijning zich uit het meisjeslijf terug, alsof het geprojecteerde beeld voor al te grote verschillen terugdeinsde. In werkelijkheid was Ellen breder, waren haar knieën dikker en beniger dan die van het meisje, dat nu abrupt opstond en de coupé verliet.

Glimlachend richtte hij zijn blik naar buiten. Een vieze oude man die haar onbetamelijk lang van top tot teen had zitten opnemen. Natuurlijk.

Weer keek hij naar de leeggekomen plek. Hij nodigde de hallucinatie uit zich opnieuw te manifesteren, maar nu zonder enig houvast in de werkelijkheid. De plaats bleef leeg. Iets moest voorhanden zijn. Het is net als bij een dromer, dacht hij, elk geluid van buitenaf wordt in het lopende droomverhaal ingepast. Als het buiten stil is gebeurt er binnen ook niets.

Het landschap gehoorzaamde aan de kaart die hij op zijn schoot had opengevouwen. Dennenbossen namen het van loofhout over, de golvende zandverstuivingen maakten plaats voor de eerste rotspartijen. Op de kaart verliep het groen in grijs, bedekten letters het landschap tussen de dorpen en de steden. Zijn vinger volgde de spoorlijn. Hier ergens. Zijn vingertop voelde de kleurverschillen.

Door de openstaande coupédeur drong de scherpe geur van een gepelde sinaasappel. Hij stond op en ging op zoek naar de restauratiewagen.

Het was optisch bedrog, maar toch leek het alsof de duisternis uit de grond de bomen in kroop, de hemel steeds donkerder kleurde totdat de wolken hun contouren verloren en overal de lichten achter de ramen van vrijstaande huizen aansprongen. Het landschap trok zich terug, maakte plaats voor zijn verschijning in het raam van de restauratiewagen. Hij keek hoe een rij lampen langs een rijksweg een ogenblik door zijn borstkas heen trok en nam toen nog een slok wijn.

4

Voor het station stonden twee kleine meisjes in spierwitte jurken tegenover elkaar. Met ronde ernstige gezichten namen ze elkaar op, alsof de een het spiegelbeeld van de ander was. Toen begonnen ze om de beurt hun vlakke linker- en rechterhand tegen elkaar te slaan.

Hij keek om zich heen. Het stationsgebouw met zijn verlichte gevelklok, de lage winkels in een halve cirkel rond het plein waren van hout. In het noorden was dat niets bijzonders; hout genoeg. Het oker, zachtroze en marineblauw van de huizen probeerde hem gerust te stellen. Een van de meisjes draaide zich om en liep weg. 'Iet wie, waai weg,' schreeuwde het andere kind haar stampvoetend na.

Nergens zag hij een bord 'Hotel'. Aarzelend begon hij over de ronde steentjes van het plein naar een wegwijzer te lopen. Naast de rijkswegwijzer, die de afstand tot de grens aangaf, hing een reclamebord tegen een schutting. 'Pension De Adelaar. Eig.: P. Zondervan. Op 2 km aan de bosrand.' Een adres stond er niet bij. Hij draaide zich om, besluiteloos.

Hij voelde zijn lichaam aan de hem omringende lucht grenzen. In het ergste geval kon hij in de wachtkamer van het station de nacht doorbrengen. Opnieuw werd hij overspoeld door paniek.

Hij drukte zich tegen de planken van de schutting. De wereld buiten de deur houden, je niet onder de voet laten lopen door de verlatenheid van dit slapende plein, je verweren tegen het gemene licht uit die ene centraal geplaatste lantaarn. Afstand scheppen, daar ging het om, het minimum dat nodig was om door de wereld te kunnen blijven bewegen, om niet door haar te worden verzwolgen.

Een zwarte auto gleed geluidloos het plein op en stopte aan de trottoirrand. De bestuurder opende voorovergebogen het portier. 'Kan ik u soms ergens heen brengen,' klonk het vriendelijk.

De informatie op het bord was maar gedeeltelijk juist. Pension De Adelaar lag inderdaad aan een bosrand, maar was zeker zo'n vier kilometer van het stationsplein verwijderd. De kleine witte villa, twee verdiepingen hoog en voorzien van een rood pannendak, was hel verlicht.

Toch had de pensioneigenaar maar één andere gast, een lerares Engels. Zij kwam hier ieder jaar haar herfstvakantie doorbrengen. 'Ze is vroeger getrouwd geweest,' zei de eigenaar die zich als Peter aan hem had voorgesteld. 'Heel vroeger. Het is een stille dame, erg op haar rust gesteld.'

Hij knikte.

De pensionhouder had wat de mensen een vollemaansgezicht noemen. Om het vrijwel kinloze gezicht wat meer allure te geven had de man, die hij op ongeveer veertig jaar schatte, een ringbaardje laten groeien. Hij keek alsof hij licht bijziende was.

Hij had zijn naam in een ouderwetse dikke foliant met een gemarmerde kaft onder een andere naam geschreven. Een duidelijk handschrift. Dora Stam. Lerares. Zij was hier al tien dagen. Hij zag dat zij de enige gasten waren.

De afwezigheid van bagage had hij verklaard uit zijn impulsiviteit. Plotseling besluit ik dan op reis te gaan; van het ene moment op het andere. Ik koop morgen in het dorp wel het noodzakelijke.

De pensioneigenaar had zijn wenkbrauwen opgetrokken. Hij zag wat de man dacht. Geld – heeft zeker geld genoeg. En tijd.

De kamer was groot en vierkant en keek aan de achterkant uit op een strakgeschoren gazon met een klein vijvertje in het midden. Er stonden een paar witte tuinstoelen op het gras. Die zouden vannacht nat van de dauw worden.

Hij kleedde zich uit en ging in het grote ledikant liggen. Alles in dit huis was van hout. Zo nu en dan kraakte het om hem heen in het donker, alsof hij aan boord van een schip was. Beneden hoorde hij het gemompel van een televisietoestel. Hij hoopte het ruisen van bomen te ho-

ren, maar alles daarbuiten bleef stil. Geen zucht-
je wind.

5

De geur van geroosterd brood kwam hem al op
de trap tegemoet. In de serre waren twee tafeltjes
gedekt. Aan een zat een jonge vrouw. Ze had een
bleek lang gezicht dat niet veranderde toen ze
haar hoofd omdraaide en haar grote bruine ogen
hem opnamen.

'Komt u toch aan mijn tafel zitten. Wij zijn
tenslotte de enige gasten,' zei ze.

'Helaas wel,' zei Peter Zondervan, die net
met verse toast binnenkwam. 'Zo gaat het iedere
herfst. De meeste mensen zien het liever niet, al
die vallende bladeren.' Hij wees naar buiten. De
meeste eiken aan de bosrand zaten anders nog vol
in het blad. Alleen hier en daar een verkleurde
plek.

Zo gaat dat bij een boom. Plotseling begint er
een blad te midden van al die andere bladeren te
verkleuren en valt af. Waarom juist dat ene? Niemand die het weet.

'Uw toast wordt koud.'

Hij glimlachte.

'Lacht u mij uit?' Haar zachte stem klonk een
beetje spottend. Ze had kleine slanke vingers, die
het mes waarmee ze een dun laagje boter over

haar toast schraapte, voorzichtig vasthielden.

'Integendeel,' zei hij. 'Ik lach omdat u op niemand lijkt die ik ken.'

Ze fronste haar wenkbrauwen. Hij moest even niet naar haar mond kijken, niet toekijken hoe het voedsel daarin verdween.

'Ik lijk anders sprekend op mijn zuster,' zei ze. 'Maar die kent u natuurlijk niet.'

'Je hebt de neiging om in een gezicht steeds naar een bekend gezicht te zoeken. Eigenlijk is dat niet goed,' zei hij.

'Naar dat van uw vrouw bijvoorbeeld.'

Zijn mes viel kletterend naast zijn bord. Was dit nu wat men vrouwelijke intuïtie noemt? Of had de pensioneigenaar zijn mond voorbijgepraat? Ach ja, natuurlijk, de twee trouwringen. Hij greep ze met de duim en wijsvinger van zijn andere hand vast. Zelf droeg ze er geen.

'Eigenlijk bedoelde ik dat niet,' zei hij. Hij keek om zich heen. Honingkleurig gelakte planken vol donkere kwasten, waar hij zijn ogen niet te lang op moest laten rusten.

Ze zweeg even, legde haar handen over elkaar; ze was klaar met eten. Peter Zondervan kwam met een nieuwe kan koffie.

'Wat bedoelde u dan?'

'Ik geloof dat ik even de draad kwijt ben,' zei hij.

'Ik heb toch niets verkeerd gezegd, hoop ik?'

'Nee, nee. Ach, nu weet ik het weer. Eigenlijk is het heel vreemd dat alle mensen uiterlijk verschillen maar van binnen niet. Ik bedoel als je hun lichamen open zou maken.'

'Bent u dokter misschien?'

'Nee,' zei hij. 'Ik ben jaren marketingspecialist geweest voor een fabriek die lichtreclames maakte.'

Hij kon zien dat het haar niet interesseerde.

'En u bent lerares,' zei hij.

Ze keek hem verbaasd aan.

'Dat heb ik in het hotelregister gelezen. Dora Stam, lerares.'

'Engels,' zei ze.

'Ik heet Fredrik van der Steen. Zonder beroep, zoals dat tegenwoordig heet.'

Ze zwegen.

'Ik kom hier iedere herfstvakantie. Mensen zoeken niet alleen naar het bekende in gezichten, maar ook in plekken.'

'Het is ook mooi hier.'

'Als u zin hebt zal ik u de omgeving laten zien.'

'Ziet u het niet als een verplichting. Alleen omdat wij de enige twee gasten zijn.'

'Ik vind het leuk. Anders zou ik het niet voorstellen.'

'Goed,' zei hij. 'Dan ga ik even mijn jas halen.'

6

Achter de rand eiken begon een dicht naald-
bos. Overal tussen de rechte kale stammen lagen
enorme, half in de grond verzonken rotsen, als
bemoste kazematten; restanten van een oeroude
oorlog leken het. Heel andere bossen dan waar
hij vandaan kwam, het zuiden, en waar de bomen groeiden zoals mensen dat wilden, in rechte rijen. Daarvan was hier geen sprake. Hier en
daar waren halverwege de stam gespleten dennen
in hun val opgevangen door de omringende bomen. Door bliksem of storm getroffen. Veel van
de laagste takken waren overwoekerd door grijs
mos. De varens tussen de bomen vormden een eigen, lager bos, fijner en lichter groen van kleur.

'Ik ken zulke bossen eigenlijk niet,' zei hij.

'Dit is ook een reservaat,' zei Dora. 'Vandaar
dat er niets geruimd wordt. 's Avonds kun je hier
zelfs herten tegenkomen.'

Ze droeg een kakikleurige plooirok onder een
zwarte trui. Een blauwe gebreide tas nonchalant
over de schouder. Stevige zwarte schoenen. Iemand die gewend was lange wandelingen te maken.

Ze keek slechts zelden naar hem. Dat deed
hem goed. Zo gauw mensen hem aankeken leek
hij zijn contouren te verliezen, verdwenen zijn
handen als vanzelf in zijn broekzakken.

Ze kende de streek goed. Ze kwam hier al zeven jaar. Geen moment leek ze in de keuze van de bospaden te aarzelen. Door de bomen zag hij de rietkraag van een bosven.

'Daar zit ik graag,' zei ze. 'Zomaar om wat te kijken of te lezen.'

Aan de randen van het meertje dreven waterlelies, maar de bloemen waren al verdwenen, sommige bladeren lagen gekruld op het water. Ze gingen op een steigertje zitten; zij vlug en behendig, hij moeizaam en in etappes.

''s Zomers zitten hier veel libellen,' zei ze. 'Ze hangen doodstil boven de lelies, net helikopters.'

'Helikopters,' vroeg hij. 'Hoe dat zo.'

'Daar lijken ze op.'

Zij was lerares Engels. Literair onderlegd of hoe je dat noemde.

'Hoor, een pad.'

Hij hoorde niets, maar om haar niet teleur te stellen deed hij alsof.

'In mei komen de kleine padjes met duizenden tegelijk naar dit meertje. De paden krioelen ervan. Er worden er veel overreden.'

'De natuur is spilziek,' zei hij. 'Verkwistend.'

Zo nu en dan verschenen er cirkels in het roerloze wateroppervlak, ringen die zich verbreedden tot ze hun kracht verloren.

'Vissen,' zei hij, op het water wijzend.

'Net radiogolven,' zei Dora Stam.

Ze las echt te veel boeken.

'Radiogolven zijn onzichtbaar.'

'Bij wijze van spreken dan,' zei ze luchtig.

'Woorden zijn geduldig,' zei hij.

Ze kwam opeens overeind, stak hem een helpende hand toe. Nee, ze leek in niets op Ellen. Ze zou bijna zijn dochter kunnen zijn. Zijn wang schoof even langs haar haar. Zo snel hij kon liet hij haar hand los, liep voor haar uit de steiger af. Een spier in zijn rechterdij schokte. Hij legde zijn hand op de plek, alsof hij zijn lichaam daar gerust wilde stellen.

'Hoe bent u hier eigenlijk zo verzeild geraakt,' vroeg ze.

Ze slingerde de tas langs haar lichaam heen en weer. Meisjesachtig.

Net als tegen Peter Zondervan zei hij dat het een impuls was geweest.

'U lijkt me anders niet zo'n impulsief iemand.'

Hij keek haar aan. Haar rustige gezicht wachtte op een antwoord. Het meisjesachtige van zoeven was helemaal verdwenen.

In dit gedeelte van het bos overheersten loofbomen. Het pad lag vol afgevallen eiken- en berkenbladeren, die ritselden onder hun schoenen.

'Sommige dingen zijn moeilijk uit te leggen.'

'U hoeft mij niets te vertellen wat u niet wilt.'

'Dat is het niet,' zei hij. 'Vroeger dacht ik dat alles gedacht kon worden. Maar er zijn gebeurtenissen waartegen het denken niet bestand lijkt. Descartes kon het niet bij een verkeerder eind hebben.'

Dat begreep ze niet helemaal.

Toen vertelde hij haar alles.

'Misschien,' zei hij, 'zijn dat wel de momenten waarop je echt leeft en beschermt ons denken en onze taal ons tegen een werkelijkheid waartegen wij anders niet bestand zouden zijn.'

'Maar dat zou toch verschrikkelijk zijn,' concludeerde Dora, die het hengsel van haar schoudertas een paar slagen om haar pols had gewikkeld.

'Misschien dat ik daarom hier ben.'

Ze antwoordde niet, wees het bos in, waar hij een wit scheefgezakt houten huisje tussen de bomen zag staan.

'Laten we daar even uitrusten,' zei ze en pakte zijn hand. 'Er woont niemand.'

Hij keek hoe haar smalle vingers zijn pols omklemden. Onmacht, maar goed bedoeld. Zijn vrije hand boog boomtakken opzij. Met een hoge tik knapte er ergens onder zijn schoenen een doormidden.

Het huisje lag op een open plek vol hoog opgeschoten gras.

'Het is al jaren verlaten,' zei Dora. 'Ik weet niet waarom en door wie.'

Het huisje had zelfs een kleine veranda. In de verandavloer ontbraken een paar planken. De deur klemde, maar zat niet op slot. De bosgeur was het huisje binnengedrongen, donker en geruststellend, een geur van kalme vermolming.

Ze zette haar tas op een tegen de wand getimmerde brits. Voor het raam stond een ongeschuurde tafel en een witgelakte keukenstoel. Dat was alles. Voor een verlaten huis ziet het er keurig uit, dacht hij, de ramen helder en zonder spinnenwebben. Hij wreef met een vinger over het glas.

'De eerste dag van mijn vakantie maak ik het hier altijd even schoon,' zei ze. 'Ik kan hier heerlijk rustig zitten lezen.'

Ze ging languit op de brits liggen, haar tas als hoofdkussen gebruikend. Hij ging op de enige stoel aan tafel zitten. Hij vond het vreemd dat hij dit was, een oudere man die midden in een bos aan een tafel zat terwijl de jonge vrouw daar op de brits zich op haar zij naar hem toe draaide en haar knieën optrok zodat haar rok over haar dijen omhoogschoof. Een schilderij bijna.

'Wat vindt u van Zondervan,' vroeg ze.

'Hij lijkt me heel vriendelijk. Misschien zelfs iets te behulpzaam.'

'Dat lijkt maar zo.'

'Zo.'

Aan de overkant van de open plek zaten twee gaaien elkaar in de takken van een eik achterna.

'Zijn vrouw is een halfjaar geleden van hem weggelopen.'

'Zo. En u kende haar?'

'Of ik Irma kende. Ze liep altijd rond alsof ze naar een feest moest. Hoge hakken, helemaal opgedirkt.'

'Misschien deed ze dat voor haar gasten.'

Dora lachte.

'Ze kwam uit de stad. Ze verveelde zich hier. Op een dag is ze weggegaan.'

'Zomaar opeens?'

'Ja, zonder iets achter te laten of te zeggen.'

'En Zondervan?'

'Hij liet zijn baard staan. Mij heeft hij het verteld. Tegen andere gasten doet hij alsof hij het pension altijd alleen heeft gerund.'

'En in het dorp,' vroeg hij.

'Daar werd gekletst natuurlijk.'

Hij stond op, steunde met beide handen op tafel.

'Maar wist hij niet waar ze heen gegaan was. Heeft hij nooit moeite gedaan haar terug te vinden?'

'Hij zei dat ze niet meer van hem hield.'

'Had ze een ander misschien.'

'Nee. Zo was Irma niet. Ze was klein en verwend. Altijd met zichzelf bezig. Hij vertelde het als een verhaal. Op een gegeven moment was het afgelopen, uit. Zij hield niet meer van hem. Zo zei hij het. Geen discussie meer mogelijk.'

'En hijzelf?'

'Dat weet ik niet. Hij lijkt soms wel eens al te behulpzaam, maar in wezen is hij trots en gesloten.'

'Niemand is een open boek.'

'Misschien dat ik daarom wel zoveel lees,' zei ze lachend. 'Ik sleep overal stapels boeken met me mee. De helft gaat altijd weer ongelezen mee terug.'

'Ik zal u helpen,' zei hij. 'Ik heb nu toch tijd genoeg.'

Ze stond op. 'Dora,' zei ze. 'Noem me toch gewoon Dora.'

Ze liep voor hem uit. Ze had slanke benen, een beetje wit misschien, maar welgevormd. Onder haar trui zag hij het bobbeltje van haar bh-sluiting. Ellen had nooit bh's gedragen, ze hinderden haar. Ze had ook veel kleinere borsten dan Dora.

7

Die avond zat Fredrik van der Steen met de pensionhouder te praten. Dora was na het eten naar haar kamer gegaan, ongetwijfeld om te lezen.

'Het wordt al vroeg donker,' zei Zondervan. 'Ik houd er niet van naar mijn eigen spiegelbeeld te kijken.'

'U zou de gordijnen kunnen sluiten.'

'Dan voel ik me opgesloten,' zei de man. ''s Winters is het een ander verhaal. Het is niet ongeestig je hele meubilair daarbuiten in de sneeuw te zien staan.'

'En de televisie dan?' Fredrik van der Steen wees op het toestel dat op een verrijdbaar tafeltje in een hoek van de kamer stond.

'Ach,' zei Zondervan, 'je kijkt ernaar omdat je toch ergens naar moet kijken. Maar de mensen in deze buurt zijn toch het meest in hun eigen omgeving geïnteresseerd.'

'Roddel. Achterklap.'

'De televisie verschilt daarin minder dan u denkt.'

'Misschien hebt u gelijk.'

Ze zaten tegenover elkaar aan de grote tafel in de achterkamer naast de keuken. Alles van hout. Een grote kajuit leek het. Aan een van de muren hing een affiche van Venetië: het Canal Grande. Gondeliers, de achter elkaar liggende boogbruggen.

'Bent u in Venetië geweest,' vroeg hij.

De pensionhouder keek even naar het affiche.

'Nee,' zei hij, 'dat hangt daar zomaar.'

Hij keek de pensionhouder recht in het ronde gezicht. Hij had zijn ringbaardje laten staan toen Irma ervandoor was gegaan.

'Wat vindt u van Dora Stam,' vroeg Zondervan.

'Zij is heel aardig,' zei hij. 'Ze heeft me vandaag een stuk van de omgeving laten zien.'

'Meestal bemoeit ze zich niet met de andere gasten.'

'Misschien komt het omdat wij maar met z'n tweeën zijn.'

'Ze is vroeger getrouwd geweest,' zei de pensionhouder. 'Heel vroeger. Toen ze er een keer over sprak was het alsof ze het over een voorval uit haar jeugd had.'

'En u,' zei hij, 'bent u getrouwd?'

De pensionhouder fronste zijn wenkbrauwen, alsof hij daarover diep moest nadenken. 'Nee,' zei hij toen, 'op de een of andere manier is het daar nooit van gekomen.'

Peter Zondervan stond op. Nu pas zag hij dat de pensionhouder op kousenvoeten liep.

'En u?'

Het klonk iets te onvriendelijk. Hij glimlachte. Hij was te dichtbij gekomen. Ieder mens heeft een geheim. Toch weet hij nooit precies wie ervan op de hoogte is. De mensen praten.

'Mijn vrouw is overleden,' zei hij kalm.

Hier zaten ze nu, twee mannen, weerspiegeld in het zwarte vensterglas, pratend over hun afwezige vrouwen. Hij stond op.

'Ik geloof dat ik maar eens naar mijn kamer ga.'

Peter Zondervan knikte. Een ogenblik leek hij

niet te weten welke kant hij op moest, toen zei hij 'welterusten' en verdween haastig op zijn kousenvoeten de keuken in.

Venetië. Daarover had Irma hier dus zitten dromen. Langzaam en voorzichtig liep hij de trap op. Het licht in Dora's kamer brandde nog.

Hij maakte de openslaande deuren open en betrad het kleine balkon. Niet omdat de weerspiegeling in het glas hem niet aanstond, maar omdat hij het bos in wilde kijken, die doodstille bijna zwarte rand eiken, afstekend tegen het gedempte maanlicht. Zijn voeten zochten steun op de vlonder, met zijn handen steunde hij op de balkonrand. De koele lucht drong zijn kleren binnen. Hij hoorde het kwaken van een kikker en dacht aan de padjes, met duizenden de weg overstekend, gedreven door een vreemde wil.

Ik lijk wel een boom, dacht hij. Ik sta hier maar hoog in het donker dauw te verzamelen. Toen hij zich omdraaide stond zij al midden in de kamer.

Midden in de kamer, op blote voeten, in een zwartkanten nachthemd, een boek in haar hand. Hij stond daar maar, zijn armen slap langs zijn lijf.

Ze legde het boek op tafel en deed toen een paar stappen naar hem toe. Hij zag haar huid onder de stof van het nachthemd bewegen; de donkere navel, het nog donkerder driehoekje van haar schaamhaar dat naar voren kwam toen ze haar armen naar hem uitstrekte.

'Ik ben het,' zei ze zacht. Achter hem hoorde hij de bomen. Hij voelde haar lichaam, meisjesachtig glad. Ze pakte zijn beide handen en legde ze op haar borsten. Hij voelde de tepels tegen zijn handpalmen drukken. Zijn handen werden enorm, dijden uit over haar schouders, haar hals, haar rug; zijn vingers zochten in haar haar, tastten langs haar oorschelpen, haar neusvleugels, haar vochtige open lippen. Zachtjes beet ze op zijn ringvinger. 'Ik ben het,' zei ze nog een keer, fluisterend.

Zijn handen vielen van haar af. Hij begreep dat zij het was, Dora Stam. Dat zij wat in werkelijkheid niet voorhanden was, wilde komen vervangen met haar lichaam. Dat zij hem uitnodigde het te betreden, erin weg te zinken, op te houden te bestaan.

Alles in zijn lichaam sloot zich. Koud als een steen wees hij haar de deur, zonder woorden. Even bleef hun snelle ademhaling in de kamer hangen. Toen hoorde hij haar voetzolen, licht plakkend aan de planken vloer.

De deur had ze opengelaten. Alleen het boek op tafel bewees haar aanwezigheid van zo-even. Hij stond in de deuropening en luisterde. Achter hem ruiste het bos steeds luider.

De traptreden kraakten niet, alsof ook zij hun adem inhielden. Hij deed de knip van de deur en liep over het strakgeschoren gazon de donkere bosrand tegemoet.

Het donker werd steeds minder duister terwijl boven zijn hoofd de aanwakkerende wind de takken door elkaar rammelde. Overal zag hij in de windvlagen bladeren neerdwarrelen, als donkere vlokken tegen een lege lucht.

Een mens kent geen bodem. De diepte waaruit zijn huilen omhoogrijst is even onpeilbaar als die onder de woorden. Het was natuurlijk. Hij liep over de paden terwijl om hem heen de bomen kraakten en zuchtten, de wind het mos op de verspreide keien deed huiveren. En hij bleef maar lopen, het hoofd rechtop, zijn nachtogen wijd open. Nergens in de wijde omtrek van zijn hoofd waren meer woorden te bekennen. Alleen de alles vervangende, steeds maar toenemende wind die hem voortdreef door een bos waar geen einde aan leek.

8

'Ik begreep er niets van,' zei Peter Zondervan. 'Dora Stam vertrok al vroeg met een taxi. Familieomstandigheden, zei ze. Maar hoe kon zij dat weten? Op de teller kon ik zien dat er niemand gebeld had. Zelfs ontbijten wilde ze niet. Ik begreep er niets van. En toen mijn andere gast maar niet naar beneden kwam, begreep ik er nog minder van. Of misschien juist iets meer. Fredrik van der Steen was niet op zijn kamer, maar zijn jas hing in de kast en op tafel lag een boek, *Diary of A Nobody*, een Engels boek. Op de eerste pagina stond haar naam, een beetje vinnig en als in grote haast geschreven. Misschien was ze hem het boek komen brengen en hadden ze woorden gekregen. Ik ga om half elf naar bed. Als ik eenmaal slaap ben ik door niets of niemand meer wakker te krijgen.

Toen meneer Van der Steen de volgende avond nog niet terug was begon ik me een beetje ongerust te maken. Ongerust, meer niet. Beroepshalve zeg maar. Van der Steen was tenslotte mijn gast. Het gebeurt wel meer dat toeristen hier verdwalen. Als je de omgeving niet kent en geen goede kaart of een kompas bij je hebt kun je hier licht de weg kwijtraken. Voor een buitenstaander lijken alle bomen op elkaar.

Ik belde Jens. Jens is de dorpsagent. Ook die nacht kwam mijn gast niet opdagen. In de vroege morgen is Jens toen met een groep mannen uit het dorp gaan zoeken. Ze hadden geen enkel aanknopingspunt of het moest de zakdoek zijn die ik op zijn kamer had gevonden en die de honden die de mannen bij zich hadden te ruiken kregen. Aan de honden hadden ze die dag trouwens niet veel.

Het woei te hard. Eventuele geursporen zouden allang verwaaid zijn.

Een aanknopingspunt hadden de mannen niet. Maar wel iets anders. Het was niet de eerste keer dat ze een toerist gingen zoeken. Mensen die de weg kwijtraken, zeker in het donker, hebben de neiging in cirkels te lopen. Ze denken dat ze rechtuit gaan, maar in wezen lopen ze om hun eigen as. Ik weet niet hoe dat komt, maar zo is het. Twee kilometer naar links of naar rechts, in dat gebied vind je ze altijd.

Dat was ook nu het geval. Fredrik van der Steen lag in de beschutting van een rots te slapen. De man die mij belde zei: "rustig als een kind". De mannen hadden hem wakker gemaakt. Het enige wat hij gezegd had was: "Ik ben weer heel." Jens liet het me later lezen in het rapportje dat hij over het voorval had opgesteld. Eerst de naam van de zoekgeraakte, dan de plek waar zij hem aangetroffen hadden en toen die uitspraak van hem. Zonder verder commentaar. Jens haalde zijn schouders op toen ik hem naar de eventuele betekenis van dat zinnetje vroeg. Misschien bedoelde hij dat hij niks mankeerde. Hij was in een goed humeur en had een razende honger. Tijdens zijn dwaaltocht had hij een paar keer uit een bosvennetje gedronken, zei Jens.

Dat van die honger klopte. Ik maakte een uitsmijter ham voor hem. Drie eieren. Hij had alles in een mum van tijd op. Hij moest naar huis opeens. Hij ook al. Naar Dora Stam vroeg hij niet. Toen hij beneden kwam had hij het boek in zijn hand. Wilt u dit aan Dora Stam geven, zei hij. Ik heb het van haar geleend maar zoals u ziet heb ik geen tijd meer om het te lezen.

Toen vertelde ik hem dat Dora Stam die ochtend was afgereisd. Heel plotseling. Familieomstandigheden. Mijn gast knikte, alsof hij van die omstandigheden op de hoogte was. Hij had zijn jas al aan. Voor hij in de taxi stapte bedankte hij mij overdreven hartelijk. Als ik me niet vergis had hij zelfs tranen in zijn ogen, het begin van tranen.

Ik keek de taxi na. Er moest iets voorgevallen zijn tussen die twee, de lerares Engels en de gepensioneerde heer. Maar als pensionhouder moet je je niet al te veel in het leven van je gasten verdiepen. Niet meer dan strikt noodzakelijk is.'

Peter Zondervan ging zijn blinkend witte huis binnen en sloot de deur. Op slag leek het onbewoond met zijn grote lege ramen starend naar de rij eiken die in de harde wind de afgelopen dagen veel van hun blad waren kwijtgeraakt. Alleen hier en daar zat er nog een vast. Alsof het daar aan zijn tak weigerde los te laten, weigerde zich te schikken in het onvermijdelijke.

De Amerikaanse

Raat voor raat. Straat voor straat. Ja, het stadje zat in Mario's hoofd als de korf in de kop van een bij: sterk verkleind, maar haarscherp.

Hij penseelde het strijklicht langs de muren van de lage huizen, die hij de kleuren gaf die teruggingen tot zijn vroegste jeugd, de tijd bij zijn grootouders op de boerderij. Oker, roestbruin, het glanzende geel van de brem, het korte heftige rood van de plukken papavers langs de wegen en verspreid over de hellingen.

Mario tikte op zijn grote, bijna kale schedel.

'Het zit allemaal hier,' zei hij. 'Iedere steen, elk stukje muur. Maar schilderen, dat is een ander verhaal. Ik ben tenslotte maar een amateur.'

Dat was zo. Mario had ook geen atelier. Als hij zin had om te schilderen stelde hij zijn ezel in de tuin op, naast een verweerde tafel waarop hij zijn tubes en penselen legde.

Hij had zijn hele leven bij de douane gewerkt, maar zelf was hij de grens nooit over geweest. Inklaringsformulieren. Exportvergunningen.

'Je hebt geen idee wat er het land allemaal in

en uit ging,' zei hij met een glimlach. 'Koffie, tandenstokers, tractors, wol, balen papier. Je kunt het zo gek niet bedenken. Alles tot in de puntjes geregistreerd. Als de goederen eenmaal op de plaats van bestemming zijn zou je al die documenten net zo goed weg kunnen gooien. Maar dat gebeurt niet. Mensen zijn verzamelaars.'

Hij was al meer dan tien jaar alleen. En kinderen hadden ze helaas nooit gekregen, Mirjam en hij. Sinds haar dood schilderde hij 's morgens en ging hij iedere middag naar het plein, het Plein van de Republiek. Eerst had hij de mannenbank geschilderd en nu zat hij er zelf op, elke middag tussen vier en zes.

De mannenbank was een brede stenen bank aan de westkant van het plein, tegenover de kerk. De glanzend gepoetste wijzerplaat van de torenklok gaf de tijd aan. De klok sloeg de hele en halve uren, korte tijd later gevolgd door de klokken van de andere kerken en kapellen in het stadje, alsof die wachtten op het voorbeeld van hun grote, goudglanzende broer op het plein.

Op de mannenbank zaten in wisselende samenstelling de oude mannen die rondom het plein woonden. Er waren meer mannenbanken in het stadje, maar deze was de belangrijkste, niet in de laatste plaats omdat je hier de meeste vrouwen voorbij zag komen. In de zomer veel toeristen in

shorts, de bleke dijen en knieschijven roodver-
brand, de rest van het jaar de vrouwen en meisjes
uit het stadje.

In tegenstelling tot de cafébezoekers onder de
arcades, die het uiterlijk van iedere voorbijgang-
ster luidruchtig becommentarieerden, zwegen de
mannen op de stenen bank. Ze keken alleen maar.
En ze dachten. Mario ook. Ze wisten van elkaar
wat ze dachten, maar niemand sprak daarover. De
meisjes en vrouwen liepen pratend en lachend
voorbij zonder in hun richting te kijken.

Toen Mirjam dood was had Mario maanden later geprobeerd haar lichaam te schilderen. Uit
zijn herinnering. Dat was hem niet gelukt. Hij
was maar een amateur. Leven schenken aan een
geschilderd lichaam was hem niet gegeven. De
naakte vrouw op het doek kon iedere vrouw zijn.
Hij had het doek in repen gesneden en verbrand.

In zijn erotische fantasieën probeerde hij haar
lichaam voor zijn geest te halen. Zijn vingertoppen zochten tevergeefs naar de herinnering aan
vroegere aanrakingen. Andere vrouwen schoven
voor haar beeld: vriendinnen van Mirjam, vage
kennissen, de koffiejuffrouw van het douanekan-
toor, de dochter van de groenteman op de markt
met haar besproete hoge voorhoofd. Maar de
beelden die hij opriep wonden hem steeds minder op, leken detail voor detail op te lossen tot

hij in zijn geest net zo'n doods en stilstaand beeld overhield als op het schilderij dat hij vernietigd had.

De mannen op de bank keken toe, namen de voorbijlopende meisjes en vrouwen mee naar huis, probeerden ze uit te kleden, maar onder al dat kanten ondergoed, de halve bh's uit de sensatieblaadjes, de neerritselende jurken uit televisieseries bevond zich niets. Misschien kwam het daardoor dat de mannen op de stenen bank allemaal dezelfde gelaatsuitdrukking vertoonden: die van een geresigneerde ergernis.

Soms werd het Mario te veel. Dan wilde hij niet langer naar deze nooit ophoudende parade van benen, borsten en billen kijken en had hij plotseling genoeg van die gesprekken over gemeentepolitiek, het weer en de stijgende corruptie.

Hij stond op en liep de kerk aan de overkant van het plein binnen.

Het was er koel. Voor het altaar brandde een rijtje kaarsen. Het kindeke Jezus op de schoot van het Mariabeeld in de kapel achter in de kerk miste zijn rechterhand. Voorin bad een jonge priester de rozenkrans. Zijn hoge jonge stem kreeg antwoord van een groepje vrouwen voor in de kerkbanken. Het klonk als het gezoem van werkbijen.

Hij was omringd met de symbolen van een geloof dat hem vreemd was, even vreemd als al die kruisafnemingen, annunciaties en heiligenvoorstellingen op de schilderijen in het plaatselijk museum. Al die verstilde drama's, hoe schitterend geschilderd ook, gingen langs hem heen. Alleen de landschappen op de achtergrond herkende hij. De boerderijen, de golvende rechthoeken van de messcherp geploegde akkers, het stoffig grijsgroen van de olijfboomgaarden en de rondfladderende zwarte kraaien. Het was het landschap van zijn jeugd. Daar kon hij bij. En in plaats van Sint-Sebastiaan, doorboord met pijlen, Johannes de Doper met zijn lange baard of de drie koningen, in stille aanbidding voor het kind, zag hij het gedrongen lichaam van zijn grootvader, wijdbeens onder een spar, omringd door etenswaren op een geruite handdoek, zijn grootvader die zijn handen vouwde en het onzevader bad. Voor hem de gewoonste zaak van de wereld. Die woorden hoorden voor hem bij de maaltijd als de stenen bij zijn akker.

Mario verbaasde zich over de devote ernst van die steeds maar herhaalde voorstellingen, als de woorden van de rozenkrans, aaneengeregen door het zwarte zoemende groepje daar voor in de kerk.

Hij draaide zich om en ging de kerk uit. Een ober draaide het goudgele zonnescherm boven het terras van Café Splendide omhoog. Het uur van het strijklicht was begonnen. Mario's ogen knipperden. En toen nog een keer.

Het rode spiegelvestje van het meisje dat hem midden op het Plein van de Republiek aansprak vonkte toen zij haar bovenlijf bewoog.

Of hij haar de weg naar het gemeentemuseum kon wijzen. Ze glimlachte toen hij haar in schools maar correct Engels antwoord gaf. Wie bij de douane werkte moest nu eenmaal zijn talen spreken.

'Ik loop wel even met u mee,' zei hij. 'Dat is eenvoudiger dan het u uit te leggen.'

Hij had moeite haar leeftijd te schatten. Vijfentwintig? Achttien? Op haar spijkerbroek zaten zwarte smeervlekken, alsof zij in een garage werkte, maar haar lange smalle vingers waren smetteloos.

Ze had een rond gezicht, blond opgestoken haar en lichtblauwe ogen. Onder het korte spiegelvestje droeg ze een wit T-shirt. Hij keek even naar haar borsten zonder dat er zich in hem een voorstelling vormde. Vijfentwintig? Achttien? Het leven had in ieder geval nog geen sporen op haar gezicht achtergelaten. Toen ze een hoek om sloegen zag hij hoe het ragfijne dons op haar linkerwang even werd aangelicht. Verdriet hield zich in schaduwen schuil. Mooi was ze niet, maar wel ongeschonden nog.

Ze kwam uit Minneapolis, waar ze bedrijfs-
kunde studeerde. En hij? Ik ben gepensioneerd,
zei hij.

Voor de openstaande eikenhouten deur van
het museum in het korte straatje achter het Mos-
caplein bleef hij staan.

'Hier is het,' zei hij. Hij wilde haar een hand
geven.

'Komt u niet mee,' vroeg ze.

Hij was jaren niet meer in het museum geweest.

'Waarom niet.'

Hij stond erop de toegang voor haar te betalen. De vrouw die onder aan de trap de kaartjes
afscheurde deed of ze hem niet kende. Ze heette
Christa en was vroeger apothekersassistente. Er
was een tijd geweest dat hij haar dagelijks had gezien.

Hij liep een paar passen achter de Amerikaanse
en keek meer naar haar dan naar de schilderijen
aan de muren. De kleine ronde spiegeltjes tussen
haar schouderbladen fonkelden, vingen stukjes
van de ruimte op en lieten ze weer los. Langs haar
bleke nek viel een krullende streng van het blonde haar tot over de ronde hals van haar T-shirt.

Opeens was ze om een hoek van een zaal verdwenen. Had ze de rechter- of de linkergalerij geko-
zen? Hij besloot rechtsaf te gaan. Snel liep hij

het eerste zaaltje door waar een Mariabeeld met grote groen geschilderde ogen dwars door hem heen leek te kijken. Ook in het tweede zaaltje was de Amerikaanse niet. Hij liet zijn ogen langs een zwaar beschadigd fresco gaan.

Een gespierde arm verhief zich om iemand een vernietigende slag toe te brengen, maar miste daartoe de hand en het slachtoffer, die zich beide in de vergetelheid hadden teruggetrokken. Aan de rechter onderkant moest een rij voeten in sandalen hebben toebehoord aan een groep oprukkende krijgers. In de overgebleven stukken landschap lagen de vierkante leemkleurige boerderijen, die hij zo goed kende, als matgetinte eilanden in een zee van grijze steen. Toen zag hij haar.

Uit de uiteengevallen resten van wat eens een veldslag moest hebben voorgesteld, doemde haar gezicht op, licht over een schouder nijgend, en keek hem aan, met donkere, diep verontruste ogen. De rest van haar gestalte was verdwenen in het kale gesteente om haar heen. Maar haar gezicht bevond zich hier, nu, gebiedend en bekoorlijk – zonder leeftijd. Het keek hem aan alsof het hem riep.

Hij draaide zich om en liep zo snel hij kon terug, de linkergalerij in. Uit zijn ooghoeken zag hij de kruisiging, de wederopstanding, de geboorte en de annunciatie. Een wemeling van gestalten en starre gezichten trok aan hem voorbij, maar zij, de Amerikaanse, haar zag hij niet meer.

Langzaam liep hij terug naar de mannenbank op het Plein van de Republiek. Natuurlijk hadden ze hun commentaar al klaar. Het klonk alsof hij de spelregels had doorbroken, een erecode had geschonden. Ze sprak mij aan, zei hij verontschuldigend. Het was een Amerikaanse. Ze kwam uit Minneapolis. Ze wilde naar het museum.

Het gesprek doofde. Op een rijtje zittend zwegen ze weer. Hij keek naar de meisjes en vrouwen die voorbijkwamen zonder de mannen op de bank te zien, naar hun langgerekte schaduwen die hen over het plein voort leken te trekken.

Hij was opgestaan en met korte stramme pasjes naar zijn huis achter het plein gelopen.

De schildersezel stond in een hoek van de achterkamer, vlak bij de openstaande tuindeuren. Hij had even naar de laag overscherende zwaluwen gekeken en toen de deuren gesloten.

Doe maar of je thuis bent

Nadat hij zich de bus in had gehesen en zijn roze strippenkaart bij de chauffeur had laten afstempelen, keek hij, met één hand de dichtstbijzijnde stang grijpend, om zich heen. De bus zat vol middelbare scholieren; jongens en meisjes in spijkerbroek met kleurige jacks, op de rug voorzien van Engelstalige opschriften. Hellbound. University of Minnesota. Grabbers Fun. Sommigen droegen een klein model rugzak, anderen een sporttas schuin over de schouder. Hij zag niemand met een normale schooltas. Twee donkerharige meisjes hadden hun rugzakjes op de zitting naast zich gezet. Hij keek in hun richting maar zij maakten geen aanstalten ze weg te halen. Hij durfde zich niet los te laten en verder de bus in te lopen, bang dat hij in een bocht zou vallen. Een jongen met een walkman op zong het melodietje in zijn oren mee. *Love you madly, all the way.* Hij keek daarbij smachtend naar een meisje met donker kortgeknipt haar dat naast haar oren in twee puntjes naar voren stak. Een pagekopje noemde je dat vroeger. Ze stak plagend haar tong naar de jongen uit.

Hij ving flarden van gesprekken op over proef-werken, leraren die gaaf of maf waren; namen die hem niets zeiden. De bus was op weg naar het winkelcentrum van Zeewijk. Als je de tassen en rugzakken meerekende waren alle zitplaatsen be-zet. Niemand leek acht op hem te slaan.

Piet Kee woonde al dertig jaar in Zeewijk. Ha-venkade 12: een dubbel benedenhuis met een tuin. Vijf jaar geleden was hij met pensioen ge-gaan bij het cargadoorskantoor Van Wijk & Zo-mer, waar hij twintig jaar lang cognossementen had geschreven en gecontroleerd. Hij zag de in-deling van de formulieren nog zo voor zich, de roze en blauwe doorslagen achter het origineel die voorzichtig losgetrokken moesten worden en in aparte mappen opgeborgen. Het origineel ging naar het kantoor in Rotterdam. Hier in Zee-wijk voeren allang geen schepen meer uit. In het haventje herinnerden twee roestige trawlers, de zw 12 en de zw 8, aan het vissersverleden van het plaatsje. In de weekends gingen groepjes vistoe-risten ermee de Noordzee op. 's Avonds kwamen ze dronken en zingend terug, de meeste zonder vis. Hij kon het allemaal vanuit zijn erker gade-slaan. Bij zijn pensionering had hij behalve een geldbedrag ook een model van zo'n trawler ca-deau gekregen. Dat stond nu op het dressoir.

Van het bedrag had hij samen met Beppie een

cruise willen maken. Hij had de kleurige folders op glad kunstdrukpapier voor haar op tafel uitgespreid. Malta. Palermo. Of de andere kant op. Miami, Cuba, Jamaica. Beppie had dat wel erg ver gevonden. Nu was het voor iedere plek te laat.

Het winkelcentrum. De scholieren verlieten stompend en lachend de bus. Hij stapte bij de bestuurder uit. 'Gaat het, meneer?' hoorde hij de stem van de chauffeur in zijn rug terwijl hij zijn rechtervoet voorzichtig op de onderste tree liet zakken. Hij bleef op de halte staan en keek naar een groepje scholieren dat in de richting van snackbar Eldorado liep. Zelf moest hij naar de geldautomaat naast het postkantoor, iets verder het winkelcentrum in, dat hier vier jaar geleden verrezen was. Beppie had dat niet meer meegemaakt. Het was ontegenzeggelijk een verbetering. Je kon er alles kopen, al verdwenen er ook voortdurend weer winkels. Alleen grote bedrijven als Albert Heijn, Blokker en Kruidvat bleven. Toch straalde het winkelcentrum met al zijn glas, staal en marineblauw geschilderde ijzeren buizen en pilaren iets voorlopigs uit. Het zou hem niet verbaasd hebben als het op een dag plotseling verdwenen zou zijn. Hij liep langs een buitenuitstalling van sportschoenen en bleef voor de geldautomaat staan, keek om zich heen en haalde toen zijn pasje uit zijn portemonnee. Vijftig gulden was genoeg voor de rest van de week. Toen hij het pasje en het geld bij zich had gestoken draaide hij zich om en nam de winkelstraat in ogenschouw. Veel vrouwen met kinderwagens, een enkele oudere zoals hij, gewapend met boodschappentas of rollator. Hij keek naar de lucht. Het wilde nog niet echt zomeren, al voelde de zon aangenaam aan als zij even door de pluizige wolken boven het winkelcentrum brak.

Voor de pui van Eldorado stonden een paar van de scholieren uit de bus. Ze aten patat uit plastic bakjes. Hij herkende het meisje met het pagekopje. Haar donkere ogen keken hem met door mascara aan elkaar gekitte wimpers aan. Ze knikte naar hem terwijl zij een patatstaafje tussen haar donkerpaars gestifte lippen stak. Hij knikte terug en bleef, toen ze op hem af kwam, afwachtend staan.

'U zat toch net in de bus,' vroeg ze al kauwend.

'Stond.'

'Wilt u ook een patatje?' Het plastic bakje met een klodder mayonaise in een apart vakje werd hem uitnodigend voorgehouden.

Hij schudde glimlachend zijn hoofd.

'Hebt u dan misschien een gulden voor me. Ik kom net een gulden tekort voor sigaretten.'

Ze hield haar hoofd bevallig schuin en tuitte haar lippen, probeerde zich volwassener voor te doen dan ze was. Hij haalde zijn portemonnee tevoorschijn en keek in het kleingeldvakje. Twee stuivers, dat was alles.

'Ik heb geen kleingeld,' zei hij.

Het meisje deed een paar stappen naar voren en keek in zijn openstaande portemonnee. Ze wees op een opgevouwen biljet van vijfentwintig.

'Ik kan dat wel even voor u wisselen,' zei ze en legde een paarsgelakte nagel op het biljet. 'De sigarettenwinkel is hier vlakbij.'

'Vooruit dan maar.' Hij gaf haar het biljet en zag hoe ze in de richting van de winkel wegholde. Het blauwe rugzakje op haar rug wipte op en neer. Hij keek naar haar rennende benen en rond zijn lippen verscheen een vage glimlach. Toch was het onverstandig wat hij gedaan had. Wie zei dat ze er niet met zijn geld vandoor ging?

Maar daar kwam ze alweer aan, het pakje Marlboro in haar ene hand, het wisselgeld in de andere. Hij nam het van haar aan. Twee briefjes van tien en vier guldens.

'Dank u wel,' zei ze.

'Hoe heet je,' vroeg hij. Na deze kleine gift had hij op zijn minst recht haar naam te weten.

'Mirjam, meneer.'

'Mijn naam is Kee. Piet Kee.'

Ze lachte terwijl ze het cellofaan rond het pakje openpeuterde. 'Een oom van mij heet ook Kee.'

'Er zijn wel honderd mensen in Zeewijk die Kee heten.'

'Nou, dan ga ik maar weer eens.'

'Heb je geen zin om bij mij een kopje koffie te komen drinken?'

Ze fronste haar dunne wenkbrauwen. 'Bij u thuis?'

Hij zag dat ze aarzelde. 'Of mag je dat niet van je ouders?'

Ze snoof minachtend.

'Voor wat hoort wat,' zei hij. 'Ik ben maar een oude man, verlegen om een praatje.' Hij grinnikte.

Ze keek over haar schouder naar de andere scholieren. 'Erik,' riep ze, 'Erik, kom eens hier!'

De jongen met de walkman slenterde traag van het groepje naar hen toe. Zijn kin ging vragend omhoog.

'Ga je mee een kopje koffie bij meneer Kee drinken,' vroeg ze.

'Of iets anders,' vulde hij aan.

'Zouden we dat wel doen?' zei de jongen die Erik heette.

'Ah, toe nou,' zei Mirjam. 'Meneer Kee heeft me net een gulden gegeven voor sigaretten.'

'Dat is dan verdomd aardig van meneer Kee,' zei de jongen en keek hem aan alsof hij hem nu pas voor het eerst zag.

Mirjam pakte Erik bij een mouw van zijn zwarte jack.

'Ik woon hier niet ver vandaan, aan de Haven-kade.'

'Nou, eventjes dan.'

Hij liep voor hen uit, wilde zich niet al meteen opdringen aan de twee jongelui.

'Niet doen,' hoorde hij Mirjam tegen Erik zeggen. De jongen had een oogje op haar, maar zij weerde hem af, riep hem alleen bij zich als ze hem nodig had. Misschien was hij even oud als zij. Toch maakte hij een kinderlijker indruk. Achter zijn rug hoorde hij hoe ze sigaretten opstaken. Ze probeerden zich een volwassen houding te geven, maar vielen keer op keer uit hun rol. Dat ontroerde hem aan pubers. *Halbstarken*, zo werden ze in Duitsland genoemd.

'Wilt u ook een sigaret?'

Hij bleef staan en draaide zich om. 'Nee dank je, ik rook niet; niet meer.' Hij bleef nu naast hen lopen. 'In welke klas zitten jullie?'

'Drie-havo,' zei de jongen en wisselde zijn sporttas van schouder.

'En vinden jullie het leuk op school?'

'Nog twee jaar,' zei de jongen.

'En dan?'

'Dan zien we wel.'

'En jij,' vroeg hij aan Mirjam.

'Als ik het niet leuk vind blijf ik wel eens thuis,' zei ze. 'Een baaldag. Daarna gaat het wel weer.'

'En wat vinden je ouders daarvan?'

'Die werken,' zei ze.

Ze waren aan het eind van de Voorstraat. Hij tastte in zijn jaszak alvast naar zijn huissleutel.

'Troost je,' zei hij, 'ik vond het ook lang niet altijd leuk op school. Behalve tekenen, dat deed ik graag.'

'Erik kan steengoed strips tekenen,' zei Mirjam.

De jongen vermorzelde de peuk van zijn sigaret onder de hak van zijn hoge werkschoen en haalde zijn schouders op. Hij probeerde zijn baard te laten staan, maar meer dan een laagje dons wilde er nog niet op zijn kin en wangen groeien.

Eenmaal op de Havenkade liep hij voor hen uit. Een lijn tikte tegen de metalen mast van een zeiljacht dat aan de kade lag afgemeerd. 'Zo'n bootje lijkt me wel wat,' zei Erik.

'Als je een ton overhebt,' zei hij en bleef voor zijn huisdeur staan. 'We zijn er.' Hij stak de sleutel in het slot, duwde de deur open en maakte een uitnodigend gebaar.

Mirjam aarzelde. 'We kunnen echt maar even blijven.'

Hij knikte en wees met zijn hand in de richting van de gang. 'Kom binnen,' zei hij.

Hun tassen zetten ze onder de kapstok, maar hun jassen hielden ze aan. Hij hing de zijne op en liep naar de keuken.

'Gaan jullie maar alvast naar binnen. Ik ga even koffiezetten.'

Hij hoorde hoe ze de kamer in gingen en bleven staan. Durfden niet goed te gaan zitten. Hij zette het koffiezetapparaat aan en liep naar binnen. Erik stond voor de ingelijste foto van een cruiseschip. Hij kwam naast hem staan en wees op de foto. 'Dat is de Mathilde,' zei hij.

'Heeft u daarop gevaren?'

Waarom niet. Waarom niet zeggen dat hij op dat schip gevaren had? Hij wist genoeg over cruiseschepen. Hij had er een paar jaar geleden zelfs een boek over gelezen. Hij kon ze toch moeilijk vermaken met verhalen over zijn dertigjarig verblijf op een cargadoorskantoor?

'Ja,' zei hij. 'Maar dat is alweer een tijd geleden.'

'Is dat uw vrouw?' Mirjam wees op het ingelijste portret dat naast het model van de trawler op het dressoir stond. Beppie van opzij. Hoge jukbeenderen en die klare blik van toen.

Hij knikte. 'Was,' zei hij. 'Ze is vijf jaar geleden overleden.'

'Wat erg voor u,' zei het meisje en schoof met de ene punt van haar gymschoen over de andere.

'Gaan jullie toch zitten,' zei hij, 'dan haal ik de koffie.'

Hij zette het blad op de lage tafel in de voorkamer. Ze gingen nu aarzelend in de twee half doorgezakte crapauds zitten.

'Doe maar of je thuis bent,' zei hij. 'Jullie moeten er zelf maar in doen wat je wilt.'

Mirjam schonk de koffie uit en deed er bij Erik een suikerklontje in. Ze wist dus hoe hij zijn koffie dronk. De roerende lepeltjes maakten een ogenblik lang het enige geluid in de kamer.

'Ja,' zei hij toen, 'dat waren me nog eens tijden, op de Mathilde. Overal voeren we heen, maar meest op de Middellandse Zee. Soms ook helemaal naar Florida, Cuba, Jamaica.'

'Als ik van school kom ga ik een wereldreis maken,' zei het meisje.

'Zozo,' zei hij, 'een wereldreis.'

'Ik spaar ervoor.'

Erik keek haar ongelovig aan. 'Jij en sparen!'

'Echt waar.'

'Mogen we hier roken,' vroeg Erik en zocht met zijn ogen naar een asbak.

'Neem het schoteltje maar,' zei hij. 'Ik ben bang dat ik geen asbak meer heb.'

'Zeker opgehouden omdat u bang was kanker te krijgen,' zei de jongen. Hij had waterig blauwe ogen en een dunne mond. Zijn vingers sloten zich vastberaden om de filtersigaret.

'Nee hoor. Aan boord mocht niet gerookt worden.'

'Ben jij enig kind thuis,' vroeg hij aan Mirjam. Haar gezicht, dat even in rust was geweest, trok strak.

'Ik heb nog een broer,' zei ze. 'Maar die is al de deur uit.'

'Wij zijn met ons vijven thuis,' zei Erik. 'Vier zussen.'

'Een vrouwenhuishouding,' zei hij lachend.

'Wat je huishouding noemt. Ik heb nog nooit zo'n teringzooi gezien als bij ons thuis.'

'Behalve op jouw kamer dan,' zei Mirjam. Ze kreeg een kleur.

Hij deed alsof hij die laatste opmerking niet gehoord had.

'Jullie zullen het hier wel ouderwets vinden,' zei hij om iets te zeggen.

'Nee, leuk juist,' zei Mirjam. 'Net als bij mijn opa en oma. Al dat moderne gaat ook vervelen.'

Hij wees op een bakelieten klok op de schoorsteenmantel. 'Dat is de eerste elektrische klok. Begin jaren dertig.' Waarom zei hij dit nu? Nam hij twee jonge mensen mee en dan kwam hij met zo'n verhaal over grootvaders klok. 'Hij heeft nog nooit stilgestaan,' hoorde hij zichzelf zeggen.

Erik stond op en bestudeerde de klok van dichtbij. 'Antiek,' zei hij, 'misschien is-ie wel veel geld waard.'

'Geld interesseert me er niet aan,' zei hij.

'Nee, omdat u het heeft,' zei de jongen en tikte tegen het ronde glas voor het uurwerk.

'Dat valt wel mee,' zei hij. 'Net genoeg om van te leven.'

'Maar u heeft wel veel gezien van de wereld,' zei Mirjam. Ze nodigde hem uit verhalen te vertellen over al die exotische plaatsen die hij alleen maar uit folders kende. Het bracht hem in verwarring. Hij kon zich dit zojuist verzonnen verleden niet zo snel eigen maken. Hij wreef in zijn handen en keek naar de tafel in de erker. 'Ik zit vaak voor het raam naar de boten te kijken,' zei hij. 'Wisten jullie dat Zeewijk vroeger een verbanningsoord was? Mensen die in de hoofdstad iets uitgespookt hadden werden hierheen gestuurd om aan het Kanaal te graven.'

'Allemaal criminelen dus,' lachte Erik.

'Als je maar ver genoeg teruggaat in de familie wel,' zei hij.

'In die van u ook,' vroeg Mirjam.

'Niet dat ik weet,' zei hij. 'Mijn grootvader had een bakkerij en mijn overgrootvader werkte bij de visafslag.'

'En uw vader?'

'Die? Die zat op kantoor.'

'Daar kom ik alvast nooit terecht,' zei Erik vastberaden. 'Je hele leven op zo'n stom kantoor. En dan ga je dood.'

'Kom, kom, niet zo somber,' zei hij. 'Jullie hebben je hele leven nog voor je.'

Mirjam keek op haar horloge. 'We moeten eens gaan.' Ze stond op en gaf hem een hand. 'Bedankt voor de koffie. En voor de gulden,' voegde ze er met een lief lachje aan toe. Haar bollende voorhoofd glom.

'Dat is niets,' zei hij. 'Ik hoop dat jullie nog eens langskomen.'

's Avonds wordt een huis een schip. Als de duisternis is gevallen vaart het uit.

Piet Kee zit voor het raam en staart naar de reflectie van de kamer waarin hij zit, nee vaart. Voor hem ligt het album waarin hij heeft zitten bladeren tot de afbeeldingen in zwarte rechthoeken veranderd waren. Het interieur van de Mathilde. De eetzaal met zijn potpalmen en gedecoreerde plafonds, de balzaal met zijn spiegels, de eetzaal met het smetteloze linnen en de kaarsrecht naast pilaren poserende obers. En overal: mannen en vrouwen, jong en oud, tijdelijk van alle zorgen verlost. In die foto's gingen gesprekken schuil, schertsend en niet bedoeld om herinnerd te worden. Geluk, Piet Kee wist niet meer wat het was sinds Beppies dood, maar deze foto's brachten hem op het spoor. Zo zou het geweest kunnen zijn. Nee, hij had Mirjam en Erik niet zomaar wat op de mouw gespeld, in gedachten voer hij met Beppie op de Mathilde en bezochten ze alle havens en stranden uit de reisfolders.

Hij was niet jaloers op de jeugd van zijn twee bezoekers van vanmiddag, ze waren voor hem eerder raadselachtig omdat het grootste deel van hun leven nog voor hen lag, verborgen, en het zijne voor het grootste deel al achter de rug was. Hij kon het overzien. Maar wat hij zag was niets dan de reflectie van een oude man aan tafel die zijn hoofd in zijn handen stut en in de richting van het voor hem onzichtbare water staart. Hij stond op en begon de kopjes naar de keuken te brengen. Op een van de schoteltjes lag een uitgemaakte sigaret met de ribbelige afdruk van Mirjams paarse lipstick op de filter.

Hij knipte de staande lamp aan. De kamer in het glas verdween, het huis lag weer vast verankerd. Havenkade 12.

Iedere morgen hetzelfde ritueel. Als hij was opgestaan en koffie had gedronken ging hij de straat op. Op de hoek was de Deko, een kleine supermarkt gedreven door een Indiase man en vrouw. Ze hadden glanzende bruine ogen en glimlachten nederig bij iedere bestelling. Hij kocht vers brood en stopte het in zijn boodschappentas naast de zak met oud brood. Daarna liep hij langs de sluizen naar de pier. Daar voerde hij de meeuwen. In de verte staken de platforms van twee verlaten boortorens uit zee op. De voorbijdrijvende wolken zorgden voor donker golvende plekken in het water, de meeuwen fladderden en doken boven zijn hoofd naar het brood. Toen hij de laatste kruimels uit de zak in het water had uitgeschud ging hij naar huis. Bij de sluizen bleef hij even staan kijken naar de imposante ijzeren deuren. De oude houten waren een paar jaar geleden met enorme rijdende kranen weg getakeld en naar een eilandje in het binnenmeer gebracht. Zoals ze daar slordig over elkaar heen tussen het hoog opgeschoten gras lagen hadden ze hem indertijd aan monumenten uit de oertijd doen denken.

Op de terugweg kocht hij bij de supermarkt een krant. Iedere dag hetzelfde ritueel. In de huiskamer klonk het geritsel van het krantenpapier oorverdovend. Hij stond op en zette de radio aan. Menselijke stemmen. Hij luisterde niet naar wat ze zeiden, hun aanwezigheid was hem genoeg.

Eigenlijk was hij het bezoek van Mirjam en Erik alweer half vergeten toen ze drie dagen later, nu in het gezelschap van een derde, een jongen die zich voorstelde als Johnny, aanbelden. Mirjam deed het woord. 'Ik ben mijn sleutel vergeten,' zei ze. 'Mag ik misschien een paar uur hier blijven tot mijn ouders thuis zijn. Ik moet een proefwerk leren.'

'Natuurlijk,' zei hij, 'komen jullie binnen.'

Nu hingen ze hun jacks wel aan de kapstok. De jongen die Johnny heette was kort en gezet. Zijn achterovergekamde blonde haar zat met gel tegen zijn slapen geplakt. Zo gauw hij in de huiskamer was liep hij naar het dressoir en tikte tegen het model van de trawler.

'Die heb ik gekregen toen ik met pensioen ging.' Hij hield abrupt zijn mond. Bijna had hij zich versproken.

'Meneer Kee heeft op een cruiseschip gewerkt,' zei Erik.

Johnny leek onder de indruk. 'Toch niet op dit bootje,' zei hij.

Mirjam had haar rugzakje afgedaan.

'Misschien kun je het beste boven gaan zitten,' zei hij. 'Daar zit je het rustigst.' Hij ging haar voor. Naast zijn slaapkamer was aan de voorkant nog een kleine kamer met een tafeltje en stoel voor het raam. Hij kwam er eigenlijk nooit. 'Je kunt het raam openzetten als je wilt,' zei hij. Ze ging op de keukenstoel voor het tafeltje zitten. Haar leren rokje schoof over haar zwarte panty omhoog. Ze schopte haar gympen uit en leegde de inhoud van haar rugzakje op tafel. Onder haar grasgroene T-shirt zag hij de sluiting van haar bh'tje zitten. Voorzichtig deed hij de deur achter haar dicht.

Toen hij beneden kwam hadden Erik en Johnny ieder een flesje bier voor zich staan. Johnny hing achterover in een crapaud.

'We hadden dorst,' zei hij.

Hij lachte. 'Doe maar of je thuis bent.'

'We halen straks wel nieuwe,' zei Erik.

De jongens staken een sigaret op.

'Een cruiseschip,' zei Johnny. 'Dat klinkt niet gek.'

Hij ging tegenover hen zitten en knikte. 'Nee,' zei hij, 'niet gek. Temeer omdat ik mijn vrouw daar heb leren kennen.'

'U zat dus achter de vrouwen aan,' concludeerde Johnny terwijl hij het halflege bierflesje tussen zijn handpalmen liet ronddraaien. Hij trok het gezicht dat hij voor een kennersblik hield.

'O nee,' zei hij. 'Dat was natuurlijk streng verboden. Nee, ze was tijdens het dansen gevallen. En aangezien ik over de EHBO-kist aan boord ging... Zo zijn we met elkaar in contact gekomen.'

'Een gevallen vrouw,' zei Erik.

Hij moest lachen om het grapje. Johnny niet. Misschien had hij geen gevoel voor humor of kende hij die uitdrukking niet.

'Was ze alleen op dat schip,' vroeg hij.

'Nee, met haar ouders.'

'Zijn vrouw is een paar jaar geleden overleden,' zei Erik, die kennelijk vond dat het gesprek een verkeerde wending dreigde te nemen.

'Oude mensen gaan dood.' Johnny zei het op een toon alsof het uitgesloten was dat jonge mensen hetzelfde kon overkomen.

Erik stond op, liep naar de keuken en kwam terug met een schoteltje.

Hij zag dat Johnny zijn as al op de grond had laten vallen.

'Hier,' zei Erik, 'voor de as.'

Johnny zette het lege flesje met kracht op de tafel voor zich. 'Dat smaakt naar meer,' zei hij. 'Zal ik wat nieuwe voor u halen? Dat scheelt u een hoop gesjouw.'

Hij aarzelde. Hij had nooit meer dan twee flesjes bier in huis. 's Avonds bij de televisie nam hij er wel eens een.

'Ach, waarom niet. Loop maar even naar de supermarkt op de hoek. Deko. Je kunt hem niet missen. Laat het maar opschrijven voor Kee. Piet Kee.'

'Ga je mee,' vroeg Johnny aan Erik.

'Ik blijf wel even hier.'

Erik keek een beetje ongemakkelijk de kamer rond. 'Het was Mirjams idee,' zei hij. 'Ze heeft haar sleutel vergeten en mijn moeder ziet haar niet zitten.'

'O nee,' vroeg hij. 'Waarom niet? Ze lijkt me anders een aardig meisje.'

'Daarom juist. Mijn moeder vindt me nog te jong.'

'En hoe oud is Mirjam?'

'Vijftien.'

'Zit ze bij jou in de klas?'

Erik knikte.

'En Johnny is je vriend?'

'Gaat wel. Hij is een beetje, wat zal ik zeggen, vrijpostig soms.'

'Dat vind ik niet erg,' zei hij. 'Liever vrijpostig dan mensen die achterbaks zijn.'

Johnny kwam terug met een krat bier. Kennelijk had hij de deur open laten staan want hij had niet horen aanbellen.

'Ik zet er even een paar koud,' zei Johnny en nam het krat mee de keuken in. Hij hoorde de ijskastdeur opengaan.

'Zou je meneer Kee niet eens bedanken,' zei Erik toen Johnny met twee geopende flesjes de kamer binnenkwam. 'Misschien wil hij ook wel een biertje.'

'Blijft u maar zitten,' zei Johnny en liep weer naar de keuken. 'Wilt u er een glas bij,' hoorde hij hem roepen.

'Het rechterkastje boven het aanrecht,' riep hij terug. Ja, waarom niet een biertje, al was het nog pas half zes.

'Proost,' zei Erik en hief het flesje.

'Bedankt,' zei Johnny en deed hetzelfde.

'Dat het jullie mag smaken,' zei hij.

'Wat doet u nou zo'n hele dag,' vroeg Johnny. 'Behalve bier drinken.'

'Ik neem alleen een flesje bij de tv, hoor. En tja, verder. Ik lees de krant. Iedere dag los ik de kruiswoordpuzzel op en op woensdag het cryptogram. Ik wandel wat rond, doe boodschappen.

Soms loop ik een stuk langs het strand.'

'Ik hoor het al,' zei Johnny. 'Het vrije leven.'

'Ik heb anders mijn hele leven gewerkt.'

'Was dat nou hard werken op zo'n schip? Wat deed u daar precies?'

Erik had gelijk. Johnny was vrijpostig. Maar ook belangstellend. Daar ging het om in het leven, belangstelling voor anderen. Die had hij ook altijd gehad. Alleen hadden de anderen maar weinig belangstelling voor hem getoond. Soms werd er de hele dag op kantoor met geen woord tegen hem gesproken.

'Ik bediende, in de eetzaal.'

'Dan at u zelf zeker natuurlijk ook lekker,' zei Johnny en smakte met zijn lippen. 'O ja, dat is waar ook.' Hij haalde een zak chips uit zijn zak, legde hem op tafel en scheurde de verpakking open. De gekrulde chips stroomden over de lage tafel. 'Een borrelhapje,' zei hij en nam een handjevol.

Hij at nooit chips, maar eigenlijk waren ze best lekker. 'Goed idee,' zei hij, 'chips. Nee, aan boord was er speciaal eten voor het personeel. Wij kregen geen chateaubriand als je dat soms denkt.'

'Chateaubriand?'

'Biefstuk van de haas,' zei Erik.

'Biefstuk van een haas?'

'Jij weet ook niks,' zei Erik. 'Dat betekent het beste vlees dat er aan een koe zit.'

'Precies. Er schoot wel eens iets over,' zei hij. 'Het eten aan boord was nogal overvloedig. Twee keer per dag werd er gedineerd.'

'Wie het breed heeft laat het breed hangen,' zei Johnny. 'Zeker allemaal rijkelui?'

'Of mensen die ervoor gespaard hadden,' zei hij.

Erik stond op. 'Ik ga even kijken of Mirjam al klaar is,' zei hij en liep de kamer uit.

Johnny nam nog een handje chips en wees met zijn andere hand op het slordige hoopje op tafel. 'Ze staan ervoor,' zei hij. 'Lekkere meid trouwens.' Hij wees in de richting van het plafond.

'Meisje,' zei hij. 'Ze is pas vijftien.'

'Voor mij is ze anders een stuk. Ooit wel eens een storm meegemaakt?'

'Meer dan eens,' zei hij. 'Dan hingen de meeste gasten ziek in hun kooi. Alleen een paar lui met zeebenen in de bar. Je kon elkaar bijna niet verstaan door al dat flessengerinkel.' Waar haalde hij het allemaal vandaan. Uit dat album over de Mathilde dat hij wel twee keer gelezen had. Hij hoorde Erik en Mirjam boven zijn hoofd door de gang lopen en de trap af komen.

'Mag ik even bellen,' vroeg Mirjam en liep naar de telefoon die op een tafeltje in de achterkamer stond. 'Even checken of mijn ouwelui er al zijn.'

Met gekruiste benen, haar rechterheup naar buiten gedraaid was ze inderdaad een jonge vrouw, al zou hij haar nooit een stuk noemen. Zo'n woord kwam niet bij hem op. Een stuk wat?

Mirjam legde de telefoon op de haak en zuchtte. 'Geen idee waar ze uithangen,' zei ze. Ze wierp een blik op haar horloge en keek hem aan. 'Vindt u het erg als ik hier nog even wacht?'

'Nee hoor,' zei hij.

Ze liep naar de lage tafel, nam een handje chips en ging toen voor de opengeslagen krant aan tafel voor het raam zitten. 'Mooi uitzicht hebt u hier,' zei ze al kauwend.

Erik stond op. 'Ik ga eens naar huis,' zei hij.

'Dan ga ik met je mee,' zei Johnny.

Ze gaven hem een hand.

'Bedankt voor het bier.'

'En voor de chips,' zei Erik en keek Johnny met een smalend lachje aan.

'Het was mij een genoegen,' zei hij. 'Jullie komen er wel uit, niet?'

Hij hoorde de deur dichtslaan. Mirjam las de krant. Hij liep naar de tafel en begon de lege flesjes naar de keuken te brengen.

'Als je wilt blijven eten,' zei hij. 'Ik eet puree met een kippenpootje.'

'Ik bel straks nog even,' zei ze. 'Als ze er om zeven uur nog niet zijn.'

'Dan wachten we toch nog wat?'

Hij ging zitten, plotseling moe, waarschijnlijk van dat bier. Ja, ze waren vrijpostig, die jongelui, maar dat hoorde er tegenwoordig bij. Verder waren het aardige kinderen. Mirjam zou zijn kleindochter kunnen zijn. Maar kinderen krijgen was hun nooit gelukt. Beppie had het in het begin vreselijk gevonden, maar langzamerhand was ze aan het idee gewend geraakt. Ze was gaan werken in een kledingzaak in de Hoofdstraat. Halve dagen. Voor de rest was ze druk in de weer met vriendinnen en in de bridgeclub. In bridgen had hij nooit aardigheid gehad, al had ze hem telkens geprobeerd de spelregels uit te leggen. Ik ben geen spelletjesmens, zei hij altijd. Nooit geweest.

Mirjam sloeg de krant dicht. 'Sloep,' zei ze.

'Sloep?'

'Een ander woord voor boot. Vijf letters beginnend met een s.' Ze tikte op de dichtgeslagen krant.

'O dat.'

Ze strekte haar armen naar achteren, rekte zich uit. Haar borsten staken tegen het laag naar binnen vallende licht naar voren.

'Moe,' vroeg hij.

'Nee, alleen gaperig van al dat geleer.'

'Waar gaat dat proefwerk over?'

'NV's en BV's. Alsof ik ooit een zaak begin.'

'Dat weet je maar nooit.'

'Ik word visagiste.'

Hij wist niet wat dat was. Ze legde het hem uit.

'Mensen een mooier gezicht geven,' concludeerde hij.

'Jonger,' zei ze. Ze draaide zich een halve slag om. 'Vindt u mij mooi?'

'Dat kun je beter aan Erik en Johnny vragen,' zei hij.

'Johnny is een klier.'

'En Erik?'

'Gaat wel. Vindt u het erg als ik even op de bank ga liggen.' Ze wees op de bank in de achterkamer.

'Ga gerust je gang.'

Toen ze op de bank lag ging hij in de erker voor het raam zitten. De zitting was nog warm van haar lichaam. Hij keek naar buiten, naar het rimpelende water in het kanaal. Zo nu en dan reed er een auto voorbij. Mensen die thuiskwamen van hun werk. Opeens hoorde hij zacht gesnurk uit de achterkamer. Hij stond op en liep op zijn tenen naar de bank. Ze lag met half opgetrokken knieën. De duim van haar rechterhand hing in haar open gezakte mondhoek. Een kind, dacht hij, ze is nog maar een kind. Hij keek naar haar op en neer gaande borst onder het grasgroene T-shirt. In het kuiltje onder haar hals zat een moedervlekje. Een stuk dat duimde. Halbstarke. Op zijn tenen liep hij terug.

De eerste keer dat hij met Beppie gevreeën had was niet ver van hier; in de duinen. Dat kon toen nog. Hoe ze de parelmoeren knoopjes van haar

lila zomerjurk losknoopte, de achterwaartse arm-
bewegingen met de graaiende vingers naar de bh-
sluiting, haar blote schouders licht naar voren
gebogen, de felwitte huid van die opeens bevrijd
naar voren springende borsten en even later het
donkere halfrijm van schaam- en okselhaar. In een
flits trok dit alles aan hem voorbij, scherp omlijnd
maar tegelijk oneindig veraf. Hij was een toeschouwer van zijn eigen leven geworden. De herinnering aan haar huid was vervlogen. Hun lichamen waren samen ouder geworden. Ze spraken
er nooit over. Een wederzijdse blik in de slaapkamer was voldoende. De hartstocht was weggeëbd
in trage, bijna verstrooide liefkozingen. De nabij-
heid tot elkaar was volkomen vanzelfsprekend.
Hij dacht niet meer aan haar als aan een los van
hem bestaande vrouw, maar als 'wij' – nu nog.

Om zeven uur maakte hij Mirjam wakker. Ze
keek hem een ogenblik angstig aan. 'Heb ik lang
geslapen?'

'Het is na zevenen. Ik ga het eten opzetten.'

Hij hoorde hoe ze belde en even later de hoorn
op de haak teruglegde.

'Geen gehoor,' informeerde hij vanuit de keuken.

Ze kwam naast hem staan, keek hoe hij een
klontje boter bij de puree deed, de kippenbout-
jes aanbraadde en met een vork ronddraaide in de

koekenpan. In de rechtervoet van haar panty zat een gat. Ook haar teennagels had ze donkerpaars gelakt.

'Zijn ze nog niet thuis?'

'Geen idee waar die twee uithangen.' Het leek haar niet echt te interesseren.

'Worden ze dan niet ongerust?'

'Ongerust?' Ze kneep haar ogen half dicht. 'Nooit iets van gemerkt.'

Hij draaide de twee pitten uit en pakte twee borden uit de kast. Het sprak vanzelf dat ze bleef eten.

'Ze werken allebei in de stad,' zei ze. 'Ze blijven daar wel vaker hangen. Gaan ze ergens eten of naar vrienden.' Ze keek hem aan. 'Ik red me heus wel.'

'En vannacht. Waar blijf je dan?'

Ze haalde haar schouders op.

Hij keek hoe ze het kippenboutje tussen haar witte tanden stak en het vlees eraf kloof. Ze wilde visagiste worden. Zelf had ze zo'n behandeling in ieder geval nog lang niet nodig. Hij schoot in de lach. 'Vorige week zag ik bij de drogist een reclame voor antitijdcrème.'

'Dat is vocht inbrengende nachtcrème,' zei ze tussen twee happen door.

'Maar of het helpt,' zei hij en streek over zijn wangen.

Nu lachte zij. 'Nee, bij u niet meer, hoor.'

Haar oogopslag vormde nog één geheel met haar andere lichaamsbewegingen, had nog niet die peinzende blik waarop hij zich voor de spiegel zo vaak betrapte en waarbij hij zich probeerde voor te stellen hoe hij er als jongeman had uitgezien. Maar het enige wat hij zag waren de nog half verborgen trekken van het gezicht dat zijn laatste zou worden.

Ze hielp hem met de afwas. Het was zes jaar geleden dat hij voor het laatst samen met een vrouw de afwas had gedaan. Een huiselijk gevoel dat hij met plezierige verbazing herkende. Hij wees haar waar de borden stonden, de messenbak. Haar smalle vingers, de soepel draaiende polsen met die zachte huid. Haar handen gingen heen en weer, verstrikt in dagelijkse handelingen die door haar jeugd leken te worden geïllumineerd. Alsof de voorwerpen die zij aanraakte zich verjongden. Maar dat was natuurlijk een illusie. Voor zulke dingen kreeg je pas oog als je eigen botten begonnen te kraken.

'Was je thuis ook af?'

Ze lachte, hing de theedoek aan een haakje. 'We hebben een afwasmachine.'

In de achterkamer keken ze televisie. Met een vanzelfsprekend gebaar had ze de afstandsbediening gepakt. Ze schakelde op de bank liggend van net naar net. 'Altijd hetzelfde. Moorden en operaties. Zielige kinderen of domme spelletjes.'

'Je kunt hem ook uitzetten.'

'En u dan?'

'We kunnen toch praten?'

Ze zweeg en schakelde verder. Achter haar strakke, afwijzende blik vermoedde hij een enorme verlatenheid. Maar misschien was hij alleen maar sentimenteel. Ze liet de tv staan op een muziekzender waar hij het bestaan niet van kende. Een rockband waarvan de leden een blauwe haarband droegen om hun al aan de slapen grijzende haar aan het oog van de camera te onttrekken. De overtuiging waarmee ze musiceerden leek hem gespeeld. Mirjam bewoog haar hoofd op de maat heen en weer.

'Luistert u nooit naar muziek?'

''s Ochtends wel eens, naar de radio. Licht klassiek noemen ze dat, geloof ik.' Hij stond op en deed de schemerlamp in de hoek aan. Het was acht uur geweest. 'Moet je niet nog eens naar huis bellen?'

Ze zette het geluid af en liep naar de telefoon. Terwijl ze de hoorn tegen haar oor gedrukt hield keek ze langs hem heen de voorkamer in. 'Niemand,' zei ze en legde neer.

'Zijn de buren niet thuis?'

'Ik zou niet eens weten hoe die eruitzien.' Ze

ging weer op de bank zitten. Even drukte ze zich met beide handen omhoog, als om de vering te testen. 'Ik kan hier anders wel op de bank slapen.'

Die mogelijkheid had hij geen ogenblik overwogen. 'Dat vinden je ouders vast niet goed.'

'Die hebben niets te vinden. Ik zorg voor mezelf.'

Hij keek onrustig naar de nu in stilte opflikkerende tv-beelden. Een jongen met ontbloot bovenlichaam en een kaalgeschoren hoofd greep een microfoonstandaard, trok hem naar zich toe terwijl hij zijn onderlijf schokkend bewoog, zijn mond wijd open rond een geluidloze schreeuw.

'Goed,' zei hij. 'Omdat het niet anders kan. Ik zal even wat dekens en lakens pakken.'

Het was angstig en feestelijk tegelijk. De aanwezigheid van een ander mens in dit huis waarin hij nu al zo lang alleen woonde. Hij lag op zijn rug in het donker. Beneden hoorde hij de televisie. Ze was nog een kind. Maar toch. Het hoorde niet. Ze kon zijn kleindochter zijn. Hij draaide zich op zijn zij. Buiten reed een auto over de kade. De koplampen zochten een ogenblik het plafond af. Hij sloot zijn ogen. Nu was het ook beneden stil.

Hij werd wakker uit een droom die hem niet meer voor de geest wilde komen. Met een gevoel van beklemming stond hij op en zocht in de klerenkast naar zijn ochtendjas. Anders droeg hij die nooit.

Toen hij beneden kwam koos hij de deur naar de voorkamer. Hij hoorde de klok van de katholieke kerk in de Agnietenstraat slaan. Zeven uur. Hij zag dat ze de gordijnen in de achterkamer gesloten had. Nu pas draaide hij zich om. De deken en het laken waren van haar afgegleden. De aanblik van het naakte meisjeslichaam met de opzij gezakte witte borsten deed hem twee keer heftig slikken. Hij liep de keuken in en begon met veel misbaar water voor koffie op te zetten. Hij bleef aan de keukentafel zitten tot hij haar op hoorde staan. Met haar blote voeten plakkend op het zeil kwam ze de keuken in. Ze wilde thee. Koffie is slecht voor mijn huid, zei ze. Hij keek naar het grasgroene T-shirt, het zwartleren korte rokje. Haar gebaren waren nog loom van de slaap. Traag roerde ze in haar thee.

'Vergeet straks je boeken niet,' zei hij. 'Die liggen nog boven.'

'Weet u het verschil tussen een NV en een BV?'

Hij legde het haar uit.

Om acht uur keek hij haar vanuit de huisdeur na. Haar blauwe rugzakje wipte op en neer. Vlak voor de hoek van de kade en de Tuinstraat begon ze opeens te hollen.

Hij probeerde het beeld te verdringen. De uitgeschoren oksels, de tepels in hun bruine pukkelige cirkeltjes, de ingevallen navel, het driehoekige donkere veldje tussen haar dijen met het zachtroze geslacht.

Zijn fantasieën waren in de loop der jaren verbleekt. Hoe vaak had hij vroeger de twee meisjes van kantoor – Tilly en Cora – niet uitgekleed, hun borsten gestreeld en was hij al masturberend bij hen naar binnen gedrongen. Maar na Beppies dood waren de beelden van hun naakte lichamen langzaam vervaagd. De gezichten hadden hun uitdrukking verloren, hun bewegingen waren steeds schematischer geworden, tot ze ten slotte verdwenen in het besef dat dit alles achter hem lag, dat er geen vrouw was die hem nog zo bekeek, zoals vrouwen hem ook niet meer op die manier interesseerden. Jonge meisjes prikkelden zijn gevoel voor schoonheid, meer niet. De vanzelfsprekendheid waarmee ze hun lichaam aan de wereld toonden, lichamen die zo gauw al weer zouden verwelken en in vormeloosheid ten onder zouden gaan. De jeugd had de toekomst, maar besefte niet hoe diezelfde toekomst haar vernietigen zou. Jonge meisjes droegen hun zalige onwetendheid met gratie en zwier. Hij genoot van ze zonder naar ze te verlangen. Maar nu was er dit beeld, zo scherp dat het bijna viel aan te raken, te ruiken. Hij probeerde het te verdringen, maar dat lukte niet. Het moest niet te dichtbij komen want dan zou het hem vernietigen, het ritueel van zijn dagelijks bestaan omverwerpen. Beppies afwezigheid zou opnieuw bezit van hem nemen en hem iedere lust tot verder leven ontnemen.

Hij nam de bus naar het Strandpaviljoen. Zeewind bracht een mens op andere gedachten. Of liever, in zijn geval, op helemaal geen gedachten. Als hij langs het strand liep en naar het aanrollen en vervloeien van de brekers keek, raakte zijn hoofd langzaam leeg. De monotonie van de golfslag leek de woorden in zijn hoofd net zo lang te herhalen tot ze oplosten in abstracte klanken en zich vermengden met het meeuwengekrijs boven hem. Een strandlopertje dribbelde op een drooggevallen zandplaat met hem mee, hield toen plotseling stil alsof het iets belangrijks was vergeten.

De laatste wolken verdwenen landinwaarts. De zon bleekte het helmgras op de duintoppen tot een verschoten groen. In de verte holde een zwarte hond over het strand, steeds verder van hem vandaan. Een maandagochtend op het strand. Hij was praktisch de enige wandelaar. Een vissersboot liet zijn wijd gespreide netten als twee vleugels langzaam aan lieren in zee zakken. Hier was het leven kalm en van alle tijden. Zo nu en dan stak er een kort windje op – waarvandaan precies? – en woei het grijze haar voor zijn gezicht. Hij zou eigenlijk weer eens naar de kapper moeten.

De kapster wees met haar roze gelakte nagels op de stoel. Hij ging zitten, zette zijn voeten op de steun onder de wasbak. Hij voelde hoe haar vingers het kapperslaken over de kraag van zijn overhemd instopten. Een vlaag kippenvel trok over zijn rug. Beter dat hij zijn ogen sloot, niet keek naar het meisjesgezicht in de grote spiegel voor hem. Het was een prettig gevoel als iemand je haar kamde. Nu leek zijn lichaam er nog gevoeliger voor dan anders. Een stem vroeg hoe kort hij het wilde hebben. Gewoon, mompelde hij, een beetje bijknippen, dat is eigenlijk alles. Uit een radio klonk een liedje van vroeger. 'Doggie in the window'. De zangeres probeerde zorgeloos te klinken. Een hondje dat tevreden voor een raam zat. Het zoemen van de tondeuse hield abrupt op en maakte plaats voor het snelle knippen van een goed geoliede kappersschaar. Toen hij zijn ogen weer opendeed zag hij de grijze haarvlokken op het spierwitte laken voor zijn borst liggen. Dood haar, voor altijd van hem gescheiden. Straks zou het in het luikje daar in de hoek worden geveegd, zich vermengen met de haren van vorige klanten.

Hij bewoog zijn linkervoet, zijn been sliep, en verplaatste toen zijn gewicht in de kappersstoel. 'Wel stil blijven zitten, meneer,' zei het meisje in de spiegel voor hem. Ze hield de schaar van zich af, de bladen wijd geopend, en bekeek met schuin gehouden hoofd het resultaat van haar werk. 'U bent weer het heertje,' zei ze en trok het laken van hem af. 'De heer is waarlijk opgestaan,' zei hij toen hij moeizaam uit de kappersstoel overeind kwam. Zijn zwarte schoenen stonden in een cirkeltje van grijze plukken haar. Hij trok zijn portemonnee. Met een schuier borstelde de kapster de schouders van zijn jasje. 'Nog geroskamd ook,' zei hij vrolijk en gaf het meisje een rijksdaalder fooi, al was haar gezichtsuitdrukking tijdens het knippen geen ogenblik veranderd. Misschien had ze er maar een. Open en bloot keek het de wereld in, zonder enig blijk van verwondering. Als hij buiten de deur stond zou zij hem alweer vergeten zijn.

Misschien kwam het door Mirjam dat hij steeds aan zijn leven met Beppie moest denken. Andere beelden, herinneringen. Hij haalde de fotoalbums van boven. Vier jaar lang had hij ze niet meer ingekeken. Beppie in een strandstoel. Op de fiets bij Otterlo, waar ze een huisje hadden gehuurd. Beppie in badpak op het strand van Cigales. Vergeten was hij hoe slank ze toen was, met glanzende lippen naar de camera lachte. Samen op de Dam, gekiekt door een straatfotograaf, een man met een wijnvlek op zijn wang. Er stonden ook foto's van hem in. Het kantoor van Van Wijk & Zomer met zijn donkere bureaus en laaghangende lampen. De bleke gezichten van zijn collega's opkijkend van hun werk. Een foto van het feestje na zijn pensionering bij hem thuis. Daar stond hij met het model van de trawler in zijn handen, een onzekere glimlach rond zijn lippen. Het fotoalbum bewees wat hij had meegemaakt met Beppie. Daarom legde hij het terug op de onderste plank van het dressoir. Als bewijsstuk. En als een boek vol beelden waarmee hij dat ene beeld met zijn schrijnende en verwoestende naaktheid te lijf kon. Het was voorbij, een incident. De rust moest weerkeren.

Hij herinnerde zich de tijd nog dat lang niet iedereen telefoon had. Voor zijn werk was hij een van de eersten aan de kade met telefoon, een bakelieten wandtoestel in de gang. Hallo, met Kee. Dan ging het om papieren die niet in orde bleken of cognossementen die nog diezelfde avond moesten worden klaargemaakt. Na zijn pensionering ging de telefoon nog maar zelden. Zijn neef Adriaan belde tijdens de kerst uit Elspeet. Maar voor de rest. Beppie was degene die het meest gebruik had gemaakt van het ding. Om met de zaak te bellen of, nog vaker, met haar bridgevriendinnen. Als de telefoon tegenwoordig ging was het meestal iemand die verkeerd verbonden was. Daarom nam hij de telefoon nu met een zakelijk en kort 'hallo' op.

'Met mij, met Mirjam.' Ze hoorde dat hij schrok. 'Gaat het goed met u?'

'Ja hoor,' zei hij. 'En met jou? Ben je je sleutel weer vergeten?'

'Nee. Iets anders. Kan ik straks even langskomen?'

'Is het zo dringend dan?'

'Nogal,' zei ze.

'Kom dan maar,' zei hij.

Hij ijsbeerde door de kamer. Weer was er dat beeld. Het had zich intussen op onbetamelijke wijze gewijzigd. Haar benen waren nu wijd gespreid zodat hij bij haar naar binnen keek; de borsten stonden met gezwollen tepels overeind; haar armen strekten zich naar hem uit. Het beeld leek op de porno bij de sigarenman. Het lijkt hier wel een slagerij, had hij een keer, wijzend op de uitstalling van blaadjes op de toonbank, tegen de winkelier gegrapt toen hij een strippenkaart kwam kopen. De mensen willen het nu eenmaal zo, had de bebrilde winkelier schouderophalend geantwoord.

Wat moest ze nu weer van hem? Hij probeerde zich kwaad te maken, maar toen ze een kwartier later met een bosje anemonen voor de deur stond, viel dat niet vol te houden.

Ze trok haar jack uit en hing het aan de kapstok. Gelukkig ging ze deze keer niet zo uitdagend gekleed. Een blauwe spijkerbroek en een grijze ruimvallende trui. Maar daaronder loerde het beeld.

'Wat kijkt u,' vroeg ze geamuseerd. 'Heb ik soms iets van u aan?'

Hij stamelde iets terwijl hij haar voorging.

'U bent bij de kapper geweest.' Ze streelde met een hand over zijn grijze haar. Hij deinsde achteruit. 'Ik bijt niet, hoor,' zei ze lachend en ging in de erker aan tafel zitten. Ze stak een vinger in haar mond en beet er zacht en nadenkend op.

'U bent zo aardig voor mij geweest,' zei ze.

'En jullie voor mij. Maar wat is het deze keer. Moeilijkheden thuis?'

'Min of meer.' Ze steunde haar kin op haar rechterhand en keek even in de richting van het kanaal. 'Ik ben zaterdag jarig.'

'Is dat een reden om zo sip te kijken?'

Ze ontweek nog steeds zijn blik.

'Kom,' zei hij. 'Wat is er.'

'Ik wil mijn verjaardag vieren, maar mijn ouders willen het niet.'

Hij keek haar verbaasd aan.

'Ik mag geen feestje geven thuis,' zei ze, hem zo bedroefd mogelijk aanstarend.

'Waarom niet?'

'Ze hebben geen zin in rommel. Muziek, glazen, jongens en meisjes die ze niet kennen. Bang voor hun spulletjes, dat is het volgens mij.'

'En hoe ging dat vroeger dan?'

'Dan organiseerde mijn moeder alles. Koekhappen, limonade, films vertonen. Dan had zij het voor het zeggen.'

Mirjam stond van tafel op en liep naar de achterkamer. 'Ik weet dat het te veel gevraagd is. En als ik een ander adres wist...'

Vreugde schoot door hem heen. Ze wilde hier, bij hem, in dit huis haar verjaardag vieren.

'Hoeveel mensen heb je uitgenodigd?'

'Erik, Johnny, nog een paar meisjes en jongens van school. Een stuk of acht. Niet meer.'

'En hoe laat zou dat feest moeten beginnen?'

'Een uur of acht 's avonds.' Ze liep op hem af, boog zich over tafel en kuste hem op zijn wang. 'Ik wist dat u het goed zou vinden.'

'Waarom?'

'Omdat u zelf jong vanbinnen bent.'

Hij zwaaide afwerend met een hand. Ze ging weer tegenover hem zitten.

'Natuurlijk nemen wij zelf alles mee. Bier, wijn, zoutjes, muziek. Alles. U hoeft nergens voor te zorgen.'

Hij legde een hand op de hare. 'Goed,' zei hij. 'Voor deze keer dan.'

In de badkamerspiegel keek hij lang naar zijn naakte gestalte. Voorzichtig streek hij met een wijsvinger over de huid van zijn rechterarm. Overal bobbeltjes en putjes. Ik lijk wel te verschorsen, dacht hij, die uitstaande aderen lijken net het takkenstelsel van een kale boom. Het was een oude gedachte, ontleend aan een afbeelding in de medische encyclopedie. Vroeger was de idee dat er binnen in hem een skelet zat dat zijn vlees en spieren droeg niet meer geweest dan dat, een idee. De laatste jaren drong het langzaam maar zeker concreet naar de oppervlakte in de vorm van plotselinge pijnscheuten in zijn rug, stijve kniegewrichten en verstarde polsen bij het wakker worden, zodat hij eerst een tijd onder de warme douche moest staan om zijn vlees en zijn botten weer met elkaar te verzoenen.

Hij trok een pas gestreken wit overhemd aan en daarop een donkerblauwe das. Meestal droeg hij geen dassen meer, maar zijn handen herinnerden zich zonder dat hij behoefde na te denken de bewegingen van het strikken. Het was vandaag ook geen gewone dag. Feestjes had hij na zijn pensionering hier thuis niet meer gegeven. Beppie hield er niet van. Als een van hen jarig was gingen ze bij Dokker, het visrestaurant aan de haven, eten. Poon of sliptong.

Om zes uur smeerde hij twee boterhammen, die hij aan tafel in de erker opat. Hij keek de lege kamer in. Hij had het huis gestofzuigd en met een stofdoek het dressoir en de schoorsteenmantel afgenomen. Bij de bloemenstal van Van Heteren had hij een ferme bos rode tulpen gekocht, die nu in een groene vaas van Venetiaans glas op de televisie stond. Het interieur leek net als hij in gespannen afwachting. En als ze het nu eens vergeten was of toch een ander adres had gevonden? Dan had ze hem dat toch laten weten? Om zichzelf in de stemming te brengen en zijn twijfel te bestrijden nam hij een glas bier.

Gelukkig was het droog. Niemand zou het weer als excuus kunnen aanvoeren om niet te komen. Zou Mirjam de eerste zijn? Hij hoopte het. Dan zou hij haar onder vier ogen haar cadeau kunnen overhandigen. Hier, zou hij zeggen, een gouden ring met een diamantje. Hij is nog van mijn vrouw geweest. Of zou hij zeggen dat hij van zijn moeder was geweest. Dat maakte het voor haar misschien makkelijker om hem aan te nemen. Zijn vingers zochten controlerend naar het zwarte doosje in zijn colbertzak. Die ring had hij Beppie gegeven toen ze vijf jaar getrouwd waren. Ze had hem bijna nooit gedragen, bang als ze was dat de ring gestolen zou worden of dat ze hem zou verliezen. Ik ben de koningin niet, had ze gezegd toen ze het doosje openmaakte en de ring met het schitterende oogje op het zwarte kussentje zag liggen. Dat had hij tegengesproken, met een stem zacht van aandoening. Nu Beppie er niet meer was had de ring zijn betovering verloren. Hij kon nu van iedereen zijn en hij was blij dat hij hem weg kon geven.

Op de radio zocht hij een station met lichte muziek op. Hij herkende een tango van Malando en even later een schetterend jazzstuk van Louis Armstrong. Hij wreef in zijn handen. Wat hem betreft mochten ze nu komen. Hij schonk de rest van het flesje bier in zijn glas leeg.

De eersten die aanbelden waren Erik en Johnny. Ieder sjouwde een geel krat pils naar binnen dat ze, langs hem heen lopend, direct naar de keuken brachten. Hij liep achter ze aan. 'Zet maar in de tuin, daar is het nu koel genoeg.' Johnny droeg een bleekblauwe werkmansoverall en rook naar aftershave. Erik had onder zijn zwarte jack een grijze coltrui en een spijkerbroek aan. Allebei liepen ze op sportschoenen. Wat hadden die jongens van tegenwoordig toch grote voeten. Maat vier-, vijfenveertig was niets meer. Met een flesje bier in hun hand ploften ze even later in de crapauds neer.

'Don zou voor de muziek zorgen,' zei Erik.

'Als hij maar niet weer met van die maffe ska aankomt,' zei Johnny en fixeerde de ingelijste foto van de Mathilde aan de muur.

Hij knikte vriendelijk, al werd hij niet in het

gesprek betrokken. Hij was ook eigenlijk geen deelnemer aan het verjaardagsfeest. Hij stelde zijn huis ter beschikking. Voor de rest was hij een waarnemer, een man op afstand. Er werd gebeld.

'Blijft u maar zitten,' zei Erik en stond op.

Het was jammer dat Mirjam niet de eerste was geweest. Dan had hij haar in alle rust de ring kunnen geven. Nu moest hij een passende gelegenheid afwachten.

De twee meisjes die binnenkwamen stelden zich voor als Shirley en Gonny. Ze droegen een Albert Heijn-tas tussen zich in. 'Wijn,' zei Shirley, die vooruitstekende tanden en even vooruitspringende borsten had. Gonny schudde bevestigend haar blonde krullen.

'Zet maar in de keuken,' zei Johnny. Hangend in de fauteuil maakte hij een wapperend handgebaar.

'Doe maar of je thuis bent,' zei hij om de twee jonge meisjes op hun gemak te stellen. 'Er zijn geen stoelen genoeg, maar de bank is nog vrij.'

De meisjes bleven staan. Gonny leek haar magere benen te bestuderen. 'Is er geen muziek,' vroeg ze, bijna angstig.

'Don komt zo,' zei Erik.

Er werd weer gebeld. Erik liep naar de gang. 'Laat de deur toch openstaan,' riep Johnny.

Daar was Mirjam. Hij stond op om haar te feliciteren. 'Ik heb iets voor u meegenomen,' zei ze en diepte een fles jenever uit haar blauwe jack op. Hij dronk wel geen jenever, maar toch, het was attent. Hij nam de fles aan en zette hem in de binnendeur van de ijskast. Op de aanrecht stonden in twee rijen zes flessen witte wijn.

Mirjam droeg een korenblauwe jurk met een boothals en zwarte schoenen met plateauzolen. Zestien was ze geworden. Ze werd door iedereen gekust, maar niemand leek een cadeau bij zich te hebben.

Hij vroeg er Johnny naar, die zijn ogen tot spleetjes kneep. 'Komt nog, komt nog,' zei hij. Hij kwam half uit de crapaud overeind, greep hem opeens bij de slip van zijn das en liet die toen weer los. 'Een das,' zei Johnny. 'Moet je kijken, jongens, een man met een das.'

Gonny keek met haar ronde blauwe ogen belangstellend toe.

'Een das,' zei Johnny peinzend. 'Weet je waar een das voor was vroeger?'

Gonny moest het antwoord schuldig blijven. Ze had zich aangewend om bij ieder antwoord met haar krullen te schudden.

'Vroeger,' zei Johnny, 'in de tijd van de lijfeigenen, moesten die gasten allemaal met een touw om hun nek rondlopen. Als ze wat uitgespookt hadden dat de landeigenaar niet beviel kon hij ze zo een-twee-drie aan de eerste de beste boom opknopen.'

'Ach kom,' zei Gonny en draaide zich om.

Johnny keek naar haar achterwerk in de strakke spijkerbroek en floot tussen zijn tanden.

'Anders draag ik nooit een das,' zei hij. 'Ik dacht, voor de gelegenheid. Het is tenslotte Mirjams verjaardag.'

Johnny knikte. 'Al goed, ouwe.'

Nu kwam Don binnen. Hij werd met opluchting begroet. In zijn ene hand droeg hij een draagbare cassettespeler, in de andere een plastic doos met bandjes. Zijn leren jack was versierd met gekleurde badges. Hij keek onderzoekend om zich heen, liep toen naar de tv en tilde de bos tulpen eraf, die hij onder het tv-tafeltje op de grond zette. Hij installeerde de cassettespeler en stopte het snoer in het stopcontact. In de doos zocht hij een bandje, plaatste het in de houder en drukte toen op een knop. Een zwaar gedreun vulde de achterkamer.

Het geluid dreef hem de erker in, waar hij op de uitkijk ging staan naar nieuwe gasten. In de achterkamer werd de bank tegen de muur geschoven. Er vormden zich dansparen. De jongens slingerden opgewonden met hun armen, de meisjes waren bedeesder in hun bewegingen. Niemand raakte elkaar aan. Hij moest aan de danslessen van vroeger denken, de schuchterheid waarmee je een arm om het middel van een meisje legde en probeerde haar met zachte dwang door de passen van de Engelse wals te loodsen terwijl de dansleraar boven de muziek van het orkest van Victor Silvester uit de maat aangaf: een, twee, drie; een, twee, drie.

Langzaam vulde het huis zich met nieuwe gasten, die wellicht niet op de hoogte waren van het feit dat dit zijn huis was. Niemand nam meer de moeite zich aan hem voor te stellen. Ze hebben aan zichzelf genoeg, dacht hij. En zo is het goed.

Hij liep naar de keuken en schonk zichzelf een glas bier in. Twee meisjes waren bezig de wijn open te maken. Hij wees ze de kast waar de glazen stonden. 'Niet genoeg, ben ik bang,' zei hij. 'We hebben bekertjes bij ons,' zei een van de meisjes en keek hem over haar bril verbaasd aan. 'Bent u Mirjams opa?' Hij lachte. 'Nee hoor,' zei hij. 'Ik ken haar. Van de bus,' voegde hij er ter verklaring aan toe.

Toen hij de kamer in kwam stond een lange jongen met peenhaar in zijn fotoalbum te bladeren. Hij liep op hem af en nam het album uit zijn handen. 'Die foto's zeggen jou niks,' zei hij. Hij wilde het album terugleggen in het dressoir, maar de jongen greep het album vast en trok het uit zijn handen. 'Dat bepaal ik zelf wel,' zei hij. 'Nu ja, als je per se wilt, ga dan gerust je gang,' zei hij en trok zijn schouders op. De jongen liep naar de erker en legde het album op tafel. Hij leek de foto's nauwkeurig te bestuderen. Iemand had de dreunende muziek nog harder gezet. De jongen met het peenhaar tikte het ritme met zijn rechtervoet mee. Johnny kwam uit zijn crapaud overeind en liep naar hem toe. 'Wat heb je daar, Flip?' Johnny sloeg snel een paar van de bladzijden van het album om, alsof hij naar een bepaalde foto zocht.

Hij vond het nu tijd om het album op te eisen. Niemand had tenslotte iets te maken met zijn verleden.

'Waar is dat cruiseschip van u,' vroeg Johnny en tikte op een foto van een heideveld waarin Beppies witte jurk hel oplichtte. 'Ik zie niks als vakantiekiekjes.'

'Je dacht toch niet dat ik op mijn werk tijd had om te fotograferen,' zei hij en probeerde het album te pakken. Johnny legde zijn vlakke hand erop. 'Toch blijft het vreemd,' zei hij. 'Heel vreemd,' viel de jongen met het peenhaar hem bij. Johnny hield het album tegen het tafelblad geklemd. 'Laat toch los, man,' zei de roodharige. 'Wat moet je nou met zo'n stelletje oude foto's. Er staat toch niks bijzonders op.' Aarzelend liet Johnny het album los.

Hij pakte het en klemde het onder zijn arm. Ze konden ook te ver gaan. Hij zou het album naar boven brengen, naar het voorkamertje. Toen hij daar de deur opendeed stonden een jongen en meisje half over de tafel voor het raam heen hangend te zoenen. Hij legde het album boven op het rekje boeken aan de muur. De jongen en het meisje leken hem niet gehoord te hebben. Hij liep het kamertje uit, maar liet de deur openstaan. Het gedreun beneden drong door zijn schoenzolen. Niemand scheen er last van te hebben. De eentonige muziek deed hem denken aan op volle kracht werkende motoren, alsof zich daar onder zijn voeten de machinekamer van een schip bevond. Hij deed het ganglicht uit en bleef in het halfdonker staan. Niemand mist mij, dacht hij. Ik zou net zo goed hier kunnen blijven staan. Toch besloot hij weer naar beneden te gaan. Enig toezicht was tenslotte gewenst. Hij meed de woonkamer en nam een kijkje in de keuken. De fles jenever stond op het aanrecht en was half leeg. De keukendeur stond open. In de tuin leunde een jongen met spierwit haar met zijn rug tegen de perenboom. Een meisje sjorde zijn T-shirt uit zijn broek. Hij wendde zijn blik af in de richting van de rozenstruiken. Een van de kratten pils was al leeg. Uit het huis klonken nu luid gelach en het geluid van applaudisserende handen. Hij liep terug naar de voorkamer.

In een kring van verhitte gezichten stond Mirjam. Ze klemde een lichtbruin gevlekt hondje tegen zich aan dat zich uit alle macht uit haar omarming probeerde los te wurmen.

'Is het geen schatje?'

'Hoe ga je hem noemen?'

Mirjam keek naar het worstelende hondje en schudde haar hoofd naar de omstanders. 'Dit is toch wel een grap, hoop ik?' Het hondje begon te janken. Het bibberde van angst.

Op de grond stond een hondenbak vol brokjes. Hij keek om zich heen. Hoeveel mensen waren er nu wel niet in huis? Mirjam had het over een stuk of acht gehad, maar dit waren er zeker al twintig. Hij liep de gang in en moest zich langs een berg jassen op de grond werken. Hijgend sloeg hij de voordeur dicht. Zo was het genoeg. Toen hij weer binnenkwam zag hij hoe het hondje zijn poot lichtte. Een hard geel straaltje spetterde tegen het behang. Overal stonden lege bierflesjes. De kap van de schemerlamp was achterover gezakt. De jongen die voor de muziek zorgde, Don was zijn naam als hij zich goed herinnerde, hield een waterglas jenever in zijn hand en wiegde in trance op de muziek naar voren en naar achteren.

'Waar is Mirjam,' schreeuwde hij in een poging om boven de muziek uit te komen. 'Waar is Mirjam?'

'Haar hondje uitlaten,' riep een meisje schaterend en zwierde haar bruine haar in het rond.

Hij moest Mirjam zien te vinden. Zo ging het niet langer. Dit was niet de afspraak. Hij zag haar nergens. Ook in de tuin was ze niet. Een jongen stond voorovergebogen in de rozenstruiken te kotsen. Hij stommelde over de trap naar boven. In het voorkamertje was niemand. Hij deed de deur van zijn slaapkamer open en knipte het licht aan. Haar blauwe jurk lag slordig op de stoel naast zijn bed. Johnny lag boven op haar. Ze klemde haar benen om zijn rug. Johnny's behaarde billen gingen op en neer. Hij sloot de deur met een klap en draaide zich om. De peer in de gang scheen hem met de felle gloed van een vuurtoren tegemoet. Alles baadde in een verblindend licht toen hij de trap afdaalde, rechtop en met hernieuwde waardigheid. Wat hij zag toen hij de voorkamer betrad verbaasde hem niet eens. Ze dansten nog steeds, maar hun skeletten waren dwars door hun kleren te zien. Hun wangen sprongen vol barsten en plooien. Billen hingen en buiken bolden op. Ze zagen asgrauw. Regelrecht dansten ze hun ondergang tegemoet. Hij lachte luid. 'Wacht maar,' riep hij, 'jullie zijn eerder aan de beurt dan je denkt!' Iemand greep hem vanachter vast en hield zijn armen tegen zijn lijf gedrukt. Hij voelde een hand in zijn broekzak glijden, zijn portemonnee tevoorschijn halen. Een stem vroeg om zijn pincode. Hij schudde woest met zijn hoofd. 'Het is voorbij,' riep hij luidkeels, 'het feest is voorbij.' Weer die stem die dwingend om zijn pincode vroeg. Hij herkende het gezicht van Don, de muziekjongen. Het kwam steeds dichter bij het zijne. Een hand trok zo hard aan zijn das dat hij moest kokhalzen. Toen verdween de kamer uit zicht. Alleen het dreunen van de scheepsmotoren hoorde hij nog even. Daarna werd alles stil. Hij was op volle zee.

Toen hij bij bewustzijn kwam lag hij op de bank in de achterkamer. Een agente boog zich over hem heen. 'Gaat het weer een beetje, meneer,' vroeg ze. Hij mompelde iets onverstaanbaars.

'Jezus, wat een teringzooi,' hoorde hij een mannenstem zeggen.

Hij draaide zijn hoofd om en zag de agent in de voorkamer staan. Hij probeerde overeind te komen, ging rechtop zitten. Hij keek om zich heen. 'Waar zijn ze gebleven?'

De agent schoof met zijn voet een paar omgevallen bierflesjes opzij. 'We werden gebeld vanwege geluidsoverlast,' zei hij. 'Toen we hier arriveerden stond de deur open en rende een stel jongelui net de hoek van de kade om.'

De agente was naast hem komen zitten. Ze had dik bruin haar en keek hem moederlijk aan. 'Hoe zijn ze bij u binnengekomen?'

'Ze waren uitgenodigd,' zei hij. 'Mirjam was jarig en wilde hier haar verjaardag vieren.'

De agent had een notitieboekje tevoorschijn gehaald en schreef iets op. 'Dus u heeft ze zelf binnengelaten?'

'Het waren er meer dan verwacht,' zei hij.

'Mirjam had het over een man of acht, maar op het laatst waren het er wel twintig.'

De agente stond op en kwam terug met een kop koffie. 'U kende ze dus,' zei ze.

'Van de bus,' zei hij terwijl hij de kop koffie aannam. 'Ik kende Mirjam van de bus. En van het een kwam het ander.'

'U heeft ze zelf binnengelaten. Ik vrees dat we dan niet veel voor u kunnen doen,' zei de agent zijn boekje dichtklappend. Hij keek nog een keer om zich heen en schudde zijn hoofd. 'Waar ze het lef vandaan halen,' zei hij. 'Enfin, mocht u bij het opruimen van uw huis iets missen dan belt u ons maar.' Hij wenkte de agente. Zonder haar uniform had ze een van de feestgangers kunnen zijn.

Hij bleef zitten tot de voordeur dichtsloeg. Toen hoorde hij een zacht gejank van onder de bank. Hij liet zich op zijn knieën zakken en voelde met zijn handen onder de zitting. Ten slotte hadden zijn handen het hondje te pakken. Hij trok het onder de bank vandaan en nam het op schoot. Hij streelde het over zijn lichtbruin gevlekte trillende lijf. 'Stil maar,' zei hij. 'Alles komt goed. Iedereen is weg. Alles komt nu weer goed.' Het hondje wroette met zijn snuit in een van de zakken van zijn colbertje. Voorzichtig trok hij de hondensnoet aan de slappe oren naar achteren. Hij voelde met zijn hand in de zak en haalde het zwarte doosje tevoorschijn. Het briljantje ving het licht van de scheefgezakte schemerlamp op in een fel wit oplichtend puntje. Hij sloot het doosje en stopte het terug in zijn zak.

Verbroken zwijgen

Op 29 september 199* brak de volksopstand uit die een jaar later zou uitmonden in de opheffing van de staat. De toen zeventigjarige dichter H. herinnerde het zich zo:

'Gewoontegetrouw zette ik om half acht 's avonds de televisie aan om naar een sportprogramma te kijken. In plaats daarvan zag ik een opgewonden gezelschap van slordig geklede mannen, de meeste niet ouder dan een jaar of dertig, achter een schragentafel. Een oudere man met een dikke hoornen bril en een zwarte bewegelijke snor was het meest aan het woord. Hij had het over opheffing van de bestaande orde. Ongetwijfeld was dit weer een of ander documentair drama over een Zuid-Amerikaans land waar het imperialisme op het punt stond te worden vervangen door het werkelijk bestaande socialisme. Ik schakelde naar het tweede kanaal. Daar zag ik hetzelfde gezelschap. Achter de tafel liepen mensen druk zwaaiend met papieren in en uit beeld. Het gezelschap aan tafel wisselde voortdurend van samenstelling. Niemand scheen de leiding te hebben. Toen pas begon het tot mij door te dringen. Er werd gezegd dat het volk en masse de grens naar de buurlanden over trok. In de hoofdstad waren mensen begonnen met het afbreken van de muur die de stad in tweeën deelde. Ik begon over mijn hele lichaam te beven. Mijn eerste gedachte? Had Marit dit nog maar mee mogen maken.'

Twintig jaar geleden was H. het zwijgen opgelegd. Hij werd uit de Schrijversbond gezet en verbannen naar het plaatsje V., waar hij met zijn vrouw Marit een oude boerderij aan het meer bewoonde. Zijn bundels *Keldergezangen* (1968) en *Op kamersterkte* (1971) waren bij verschijnen al na een dag uitverkocht en werden kort daarna verboden. Zijn naam verdween uit de handboeken en uit de kranten en tijdschriften. Maar zijn gedichten hadden zich in de loop der jaren vermenigvuldigd en over het land verspreid in talloze overgetikte exemplaren. Regels als 'Ik ben gebleven om te gaan/ Ik ben gegaan om te blijven' en 'Ik ermee opgehouden van dit land te houden/ ik was de enige die het zag/ dit land bestond niet' waren gevleugelde woorden geworden. Steeds verder hadden de autoriteiten hem in het isolement gedreven. Hij werd permanent in de gaten gehouden door agenten van de Algemene Controle Dienst, zijn post werd opengemaakt of achtergehouden, zijn telefoon afgeluisterd. Regelmatig drongen agenten zijn huis binnen om zijn manuscripten in beslag te nemen. Maar nooit vonden ze iets. Ik schrijf geen gedichten meer, had hij op hun vragen geantwoord. Maar dat geloofden ze natuurlijk niet. Ze bleven hem controleren. Hij schreef niet langer, maar zijn zwijgen werd beroemd; in de westerse pers werd het zelfs oorverdovend genoemd. Hij werd verschillende malen uitgenodigd om daar lezingen te komen geven. Natuurlijk werd hem keer op keer een visum geweigerd. Toen zijn zwijgen maar bleef groeien, was er iemand van de regering bij hem op bezoek gekomen om hem een uitreisvisum aan te bieden. H. wist wat dat betekende. Hij had geweigerd en gezegd: 'Het is niet zo dat ik zwijg, ik kan alleen niet meer spreken.' Toen in oktober 199* zijn vrouw in het meer verdronk (zij was sterk bijziend en er hing die avond een zware mist) leek H. in alle opzichten een gebroken man. Nu hebben we niets meer van hem te vrezen, had de chef van de ACD het staatshoofd laten weten. Maar het zwijgen van H. werd steeds spraakmakender en het onderwerp van talloze clandestien verspreide gedichten. Zijn weigering om te schrijven riep bij anderen juist het schrijven op. Bij tal van kwesties vroeg men zich af: wat zou H. hiervan hebben gezegd? De ACD stond machteloos. Hoe moest men reageren op deze leegte, deze afwezigheid van woorden, deze almaar voortdurende stilte? De controle op zijn gangen werd verscherpt. Maar niets wees op enige vorm van staatsgevaarlijke activiteit. Ook de dorpsbewoners van V. wisten niets over hem te vertellen. Twee keer in de week kwam hij boodschappen in de winkel doen. De agenten bestudeerden H.'s boodschappenlijstjes, maar vonden daarin niets verdachts. Met verrekijkers bespiedden ze hem als hij met zijn bootje het meer op roeide en bij een van de eilandjes afmeerde. Urenlang zat hij daar onder een eikenboom over het water uit te kijken. De agenten vroegen zich af wat hij dacht. Zelfs zijn lippen bewogen niet. Om toch met iets thuis te komen schreven zij in hun rapporten dat H. zijn dag doorbracht met bidden. Een van de agenten vergeleek hem in een rapport met een standbeeld. Zijn aanwezigheid alleen was op het laatst al subversief. Misschien dat de regeringsleider een moment had overwogen om hem te laten liquideren, maar had hij daarvan afgezien. In plaats daarvan besloot men hem eerherstel te verlenen. Maar dat sloeg hij natuurlijk af.

Het zwijgen van H. werd op die negenentwintigste september 199* doorbroken. Een van de eerste schrijvers die op de tv verschenen was H. Met zijn afhangende wangen en de wallen onder zijn ogen zag H. er als een oude hond uit, een buldog. Hij vergeleek de taal met een stuk land na een overstroming, alles bedekt met een dikke laag slib. 'Pas als we onze taal gereinigd hebben van dertig jaar bedrog, achterdocht en lafheid kunnen wij opnieuw schrijven zonder ons te hoeven schamen.' Aan het slot van de uitzending keek hij recht in de camera. 'Twintig jaar huisarrest hebben mij de buitenwereld doen vergeten. Daarentegen heb ik mijn huis heel goed leren kennen.' Hij zei het zonder een spoor van spot of verbittering. Op de vraag of hij nu opnieuw de pen op zou nemen, glimlachte hij alleen maar.

Hij moest eraan wennen dat de postbode nu iedere dag met een grote hoeveelheid brieven en drukwerk langskwam. Brieven van bewonderaars en bewonderaarsters, uitnodigingen om lezingen te komen geven, ergens zijn gedichten voor te dragen. De stapel post op zijn bureau groeide. Hij beantwoordde geen enkele brief; alsof hij zijn handschrift te kostbaar vond voor gebruik. In werkelijkheid was hij zo verknocht geraakt aan zijn zwijgen dat hij er geen afstand van wilde doen. Als de telefoon ging had hij zijn standaardantwoord klaar. 'Daar heb ik geen verstand van.' De spion van de ACD in zijn muisgrijze auto, die iedere dag een eindje verderop bij de afgebrande molen had staan posten, was verdwenen. Toch wijzigde H. zijn levenspatroon niet. Tweemaal in de week bezocht hij de landwinkel, waar hij door de familie R. met respect en ook een beetje angstig werd geholpen. Iedereen had tenslotte over iedereen uit de school geklapt. Het oude wantrouwen was nog niet geweken. De grapjes over het voorbije regime die men in de winkel maakte werden daarom omzichtig en besmuikt gedebiteerd. De president bleek een luxueus paleis aan de kust te hebben bezeten. Ze hadden er foto's van in de krant zien staan. Een voorbeeld van werkelijk bestaand socialisme. Men besprak de voor- en nadelen van emigratie. Hem werd niets meer gevraagd.

In de kranten en op de televisie werden intussen de messen geslepen. Vol walging zag H. hoe iedereen ijlings zijn stoepje probeerde schoon te vegen. Net als na de grote oorlog bleek iedereen plotseling een held te zijn geweest of dat toch op zijn minst van plan te zijn geweest. Alleen G. hield voet bij stuk. Hij bleef zich communist noemen. H. had een zeker respect voor hem. Dit was tenminste iemand die niet begon te draaien zo gauw de wind uit een andere hoek waaide. Maar hij kon niet verhelen dat hij met leedvermaak over G.'s toekomst nadacht. Het zou definitief afgelopen zijn met zijn vuistdikke romans over het boerenleven, zijn lofzangen op een leer waarin het ware leven steeds maar weer moest worden uitgesteld omdat er eerst nog allerlei vijanden van het volk moesten worden uitgeschakeld. Jarenlang was G. voorzitter van de Schrijversbond geweest en zo direct verantwoordelijk voor H.'s royement. Nu was hij de eerste die uit de nieuwe bond gegooid zou worden. Iedereen wijzigde zijn positie, maar de methodes bleven dezelfde. Het handjevol uitgeweken dissidenten keerde onder gejuich terug. Nu waren zij de coryfeeën, terwijl bijvoorbeeld S., die het soms op een akkoordje met de censuur had gegooid, hen als schrijver allemaal in zijn zak kon steken. Er was vrijheid van meningsuiting, maar de literatuur was nog net zo verpolitiekt als ten tijde van het regime. Onder die omstandigheden had het geen zin partij te kiezen. H. bleef zwijgen. Nu werd zijn zwijgen niet langer gezien als een daad van verzet, maar als een weigering om aan de nieuwe orde deel te nemen. Ja, zo noemden zijn collega's dat: de nieuwe orde.

H. leefde van het kleine pensioen dat men hem niet had durven afnemen. Dagelijks maakte hij zijn vaste wandeling door het bos of roeide in het bootje naar het eiland, waar hij onder de eik voor zich uit staarde over het rimpelende water. Als hij ooit nog iets zou schrijven zou het over haar moeten gaan, over Marit. Ze zag slecht. Op die bewuste avond moest ze in de mist per ongeluk te water zijn geraakt. Aan andere mogelijkheden wilde hij niet denken. Het was oktober, ze moest door de kou zijn bevangen. Pas na drie dagen dreggen hadden ze haar lichaam gevonden. Ze hadden het meegenomen naar het ziekenhuis in de provinciehoofdstad B. Toen pas hadden ze hem gewaarschuwd. Later hadden ze hem een kopie van het politierapport gestuurd. Een nauwkeurige lijst met alles wat ze tijdens het dreggen naar boven hadden gehaald. Een tractor, merk Ferz, bouwjaar 1931, zes houten karrenwielen, twee platbodems, een zeis, veertien losse planken van een vergane steiger, drie trossen, twee visnetten, een verroest geldkistje waar niets in zat. Op de zestiende plaats stond zij. Hij had het rapport na lezing meteen verscheurd. De begrafenis had in stilte plaatsgevonden. Niemand uit V. was gekomen. Hij stond daar alleen met die ene dieprode roos in zijn vuist geklemd. Pas na drie dagen had hij de telefoon gepakt en een paar vrienden gebeld. Vier jaar geleden was het nu, maar hij miste haar nog steeds en verweet zich hoe weinig hij zich eigenlijk van haar herinnerde. Alleen 's ochtends bij het ontwaken meende hij soms haar stem te horen. Of nee, niet haar stem, maar een soort innerlijke echo ervan. Ze waren zevenentwintig jaar samen geweest. Ik heb het leven met haar als te vanzelfsprekend beschouwd. Dat dacht hij nu, nu het te laat was.

Aan de buitenkant mocht hij dan op een standbeeld lijken, een kaarsrechte oude man met grijs
haar dat in een borstelige kuif recht omhoog-
stak, alsof het onder stroom stond, binnen in zijn
hoofd heerste een chaos aan tegengestelde bewegingen. Hij beschouwde zijn leven met Marit als een aaneenschakeling van gemiste kansen.
Ik heb niet genoeg rekening gehouden met de
mogelijkheid van haar dood, hield hij zich voor,
ik heb te veel aan mij voorbij laten gaan. En hij
probeerde zich daar onder die eik, starend naar
het water van het meer, haar gebaren, haar manier van lopen, trippelen was het meer, haar bijziende gescharrel voor de geest te halen. Maar hij
zag niets. Zijn trotse zwijgen maakte plaats voor
een allesoverheersende schaamte. Hij rouwde om
haar verdwijning, die hem met de dag definitiever
voorkwam. Foto's vervreemdden onder zijn blik;
dat was niet de vrouw die hij zocht. Zat zij dan
nergens meer in hem verscholen? Hij probeerde
de voorwerpen in huis te hulp te roepen, de pia-
notoetsen te bewegen om nog eenmaal haar korte krachtige vingers tevoorschijn te roepen, haar
binnensmondse geneurie als ze veel te langzaam
de mazurka in cis kleine terts van Chopin speelde, de leesbril op het puntje van haar neus, turend
naar het notenbeeld voor haar op de lessenaar.
Maar ook de voorwerpen in huis hadden haar losgelaten. Vanuit de hoeken van de kamer rukten

stof en vuil op. Vlekken waren hem dierbaar nu. Ze bewezen dat hier eens door hen tweeën geleefd was. De aandrang om te schrijven was hem totaal vreemd. Een vriend stuurde hem Eugenio Montales gedichtencyclus over diens overleden vrouw, 'Xenia'.

> *Lief klein insect,*
> *om de een of andere reden vlieg genoemd,*
> *deze avond in naderend duister*
> *terwijl ik in Deuteronomium-Jesaja las,*
> *dook je naast mij op,*
> *maar zonder bril,*
> *dus zag je mij niet*
> *noch kon ik zonder het geblikker van je glazen*
> *jou in de nevel ontwaren.*

De gedichten ontroerden hem hevig, maar vormden tegelijkertijd het onomstotelijke bewijs dat er een eind aan zijn schrijverschap gekomen was. Alle kunst was surrogaat voor het leven. 'In de tijd toen ik gedichten schreef' was een zinsnede die hij nu steeds vaker in de mond nam. Als de agenten van de ACD zijn boodschappenlijstjes nog zouden controleren, zouden ze geconstateerd hebben dat hij steeds meer rode wijn consumeerde. Een jonge Noorse stuurde hem een scriptie over zijn gedichten. De geciteerde fragmenten leken hem door een ander geschreven, iemand die hij achter zich gelaten had. Hij schreef haar terug dat hij haar niet kon ontmoeten. Het bos rond zijn huis leek hem te roepen. Alsof hij door zijn jarenlange zwijgen de grens was overgestoken en nu zelf tot boom was geworden, een van hen. Hij verlangde naar de dood, de enige die hem van dat knagende gemis zou kunnen verlossen. Ik wil Marit achterna. Maar de gedachte het meer in te lopen schrikte hem af. Als hij naar het eiland roeide en even een hand in het water stak, schrok hij van de felle kou die zijn hand bijna leek te verbranden. Hij keek naar zijn druipende vingers die zich bliksemsnel uit het donkere water hadden teruggetrokken. Behalve hijzelf was er ook nog zijn lichaam. En dat wilde niet dood.

Op de dag dat G. hem opzocht scheen de zon. De randen van de kastanjebladeren vertoonden al hun vertrouwde roestranden. Overal lagen de uit hun bolster gebarsten kastanjes glimmend met de glans van gepolitoerde meubels in het gras. G. reed met zijn oude lichtblauwe Skoda tot vlak voor zijn deur. Voor het raam staand zag H. hem aarzelend uitstappen en om zich heen kijken, alsof hij nog steeds bang was gevolgd te worden. Maar sinds de omwenteling was iedereen op zichzelf aangewezen. De verklikkers deden zich weer voor als gewone burgers. H. schatte hun aantal op zo'n zeventig procent van de bevolking.

Over het verleden, hoe recent ook, werd dan ook met geen woord meer gerept.

G. was nog steeds lang en mager. Zijn sluike haar was aan de slapen grijs geworden. De lange spitse neus en smalle lippen gaven hem het aanzien van een vogel, een sperwer, had H. wel eens gedacht. Nu zei hij dat G. dan maar moest binnenkomen.

'Je kunt daar niet zo blijven staan,' zei hij.

G. knikte, stapte de gang in en wachtte tot H. de deur achter hem gesloten had.

'Ik ben gekomen om met je te praten,' zei hij. 'Als je dat wilt tenminste.'

H. ergerde zich aan de timide, onderdanige toon.

'Natuurlijk,' zei hij. 'Waarom niet. Zoveel mensen zie ik hier niet.'

Ze gingen de kamer binnen die uitzag op de bosrand, de kamer met de zwarte piano, waarvan de klep gesloten was.

'Ik wist niet dat je pianospeelde,' zei G. om ergens te beginnen.

'Marit speelde.'

G. zweeg. H. wees hem met een handgebaar een stoel aan tafel en ging tegenover hem zitten. Hij vouwde zijn handen en keek naar de door nicotine geel geworden nagels van zijn linkerhand.

G. knipperde met zijn ogen, zijn rechterhand zocht steun aan de tafelrand. Zijn zwarte colbertjasje zat hem te ruim. Hij zag er moe uit. Toen legde hij zijn vingertoppen tegen elkaar, boog licht naar H. voorover en zei: 'Het is afgelopen.'

H. knikte. 'Ieder zijn tijd,' zei hij. 'Maar je kunt nu tenminste weer schrijven wat je wilt.'

G. schudde langzaam zijn hoofd. 'Het is afgelopen,' herhaalde hij. 'Niemand wil mij meer uitgeven.'

'Je bent toch niet gekomen om je te beklagen,' zei H. scherp.

G. schrok. Nee, integendeel, hij was gekomen om zijn excuses aan te bieden. Hij had nooit mogen instemmen met die eis van hogerhand om H. uit de Schrijversbond te gooien.

'Gedane zaken,' zei H. 'Nu is het jouw beurt.'

H. wist dat de nieuwgevormde Schrijversbond, waarvan hij geen lid had willen worden omdat hij, zoals hij hun geschreven had, 'niet meer schreef', bezig was aan een zuivering.

G. voelde zich in het nauw gedreven. Het zou H. niet verbazen als er straks tranen in zijn ogen zouden springen. Hij stond op en haalde een fles rode wijn.

'Laten we eerst iets drinken,' zei hij.

'Waarop,' vroeg G. dof.

'Op de omwenteling natuurlijk,' zei H.

'De terugkeer,' zei G.

Zo hoorde H. hem liever. 'Zo kun je het natuurlijk ook bekijken,' zei hij.

'Geloof jij er dan in, in die omwenteling,' vroeg G.

'Ik ben er eigenlijk te oud voor,' zei H.

G. was ruim twintig jaar jonger dan hij. In de tijd dat G. voorzitter van de Schrijversbond was geworden, was hij een jonge ambitieuze romanschrijver geweest die gekleed ging in jeans en een glimmend zwartleren jasje. Zijn stem had vast en helder geklonken, overtuigd van zijn gelijk. Ook liet hij in die tijd een martiale snor staan.

'Geloofde jij in wat je schreef,' vroeg H. 'In die romans vol golvend graan, in die vijfjarenplannen die in het laatste hoofdstuk altijd net op het nippertje werden gehaald.'

'Ze hadden een voorbeeldfunctie,' zei G. 'Zo had het moeten worden.'

'Maar zo werd het niet,' zei H. en glimlachte terwijl hij hun glazen volschonk.

'Eigenlijk zou ik je de deur uit moeten schoppen,' zei hij, 'maar ik ben geïnteresseerd in hoe je jezelf al die tijd hebt kunnen voorliegen.'

'Het waren geen leugens,' zei G., 'het waren toekomstvoorspellingen. Een gelovige kan lang op een wonder wachten.'

'En nu heeft het wonder zich voltrokken,' zei H.

'Dat valt nog te bezien,' zei G. 'Je zult zien dat de mensen heimwee krijgen naar de oude orde.'

H. zuchtte. 'Ik wil helemaal geen orde meer,'

zei hij. 'Ik wil alleen nog maar dood.'

G. schudde misprijzend zijn hoofd. Hij was communist. In naam van dat systeem waren de mensen bij honderdduizenden vermoord, maar in de dood geloofde een communist niet. Wel in noodzakelijke offers, gebracht op het altaar van de geschiedenis.

G. stond op en ging met zijn handen in zijn zakken voor het raam staan. H. keek naar zijn rug en verbaasde zich over zijn gebrek aan haat.

'Ik heb mijn dossier ingekeken,' zei G. 'De ACD was nog effectiever dan ik al dacht.'

'Hoezo,' zei H. 'Ik neem aan dat jij toch ook voor hen werkte.'

'Dat kon niet anders,' zei G. 'Maar toen ik mijn dossier in keek ontdekte ik dat ik op mijn beurt gecontroleerd werd.'

G. draaide zich om en liep terug naar zijn stoel. Zijn gezicht zocht naar een uitdrukking, maar kon zo gauw geen passende vinden. Een mens in paniek.

'Ik heb mijn dossier opgevraagd om mijzelf straks te kunnen verdedigen,' zei hij.

'Misschien komt er wel helemaal geen proces,' zei H. 'De mensen hebben wel wat anders aan hun hoofd. Trouwens, ze zeggen dat zeventig procent van de bevolking voor de ACD werkte. Er is gewoon geen beginnen aan.'

'Dat moet haast wel als je die kelders vol dossiers ziet,' zei G. 'Waarom ga jij ook niet eens kijken? Je hebt nu het recht.'

'Om wat te vinden,' zei H. 'Ik heb tenslotte al die tijd alleen maar gezwegen.'

'Ik kan het haast niet geloven,' zei G. 'Je hebt vast wel dingen in je bureaula liggen.'

H. schudde zijn hoofd. 'Jullie hebben me mijn taal afgenomen. Ik had niet gedacht dat dat kon, maar het kan dus wel.' H. wees naar een hooiwagen die in een hoek van de kamer met zijn lange tastende poten kruipend op weg was naar het plafond. 'Straks valt hij naar beneden en begint hij weer van voren af aan. Een mens kan heel goed zonder literatuur.'

G. leek even in gedachten verzonken. Toen zei hij: 'Je hebt geen idee wat de ACD allemaal van je weet. De kleinste dingen. Zaken die je zelf totaal vergeten bent. Ze maakten geen enkel onderscheid. Alles werd genoteerd.'

'Wij zijn altijd al een land van dwangmatige boekhouders geweest,' zei H. 'Dat komt door ons gebrek aan zelfvertrouwen. We hebben nooit in dit land geloofd. Pas als iets in een rapport stond leek het ons werkelijk te bestaan.'

G. stond op en stak zijn hand uit. 'Je begrijpt hoe ik mij schaam,' zei hij. 'Ik begrijp ook dat het in wezen onvergeeflijk is.'

'Als ik iemand anders was, zou ik je nu ter plekke neerschieten,' zei H. 'Het is maar dat je dat weet.'

Toen H. zich in de hoofdstad bij het kantoor van de voormalige ACD meldde, dat zich nog steeds verschool achter een koperen naambord met daarin de woorden 'Profil A. B. – Import & Export' gegraveerd, werd hij onmiddellijk toegelaten tot de directeur, een jongeman met lichtblauwe ogen, een veerkrachtige tred en een iets te enthousiaste handdruk. P.

'U begrijpt dat ik nog maar net in functie ben,' zei hij. 'De kelders zijn ook voor mij nog een doolhof.'

'Zijn er veel mensen die hun dossier willen inzien,' vroeg H.

'In het begin liep het hier storm. Maar nu het nieuwtje eraf is...'

'Het nieuwtje,' vroeg H.

'Of je buurman voor de dienst had gewerkt, wie op je werk over je geklikt had.'

'En dan?

'Eigenlijk niets. Er is werkelijk geen beginnen aan.'

'U bent er dus ook voor om alles maar te vergeten,' vroeg H.

'Dat zou beter zijn,' zei de jongeman. 'De schaamte is eenvoudigweg te groot.'

Hij ging H. voor naar de kelders van het gebouw. De grijze terlenkabroek van de jonge directeur was iets te kort. H. hield zich aan de trapleuning vast. Toen ze voor een met ijzer beslagen

deur stilhielden en P. de deur voor hem open-
hield, zei hij: 'Er lopen een paar medewerkers
rond die u wel verder zullen helpen. U kunt ze
herkennen aan hun grijze stofjas. Als u iets nodig
heeft dan weet u waar ik kantoor houd.'

H. hoorde de jongeman met twee treden tegelijk de trap op rennen, alsof hij ergens voor
wegvluchtte. H. herkende de geur van dicht op-
eengepakt, langzaam wegkwijnend papier: de uni-
versiteitsbibliotheek van J., waar hij eens gestu-
deerd had. Zijn ogen moesten wennen aan het
schaarse kelderlicht dat door een rij getraliede
raampjes naar binnen viel. Zo nu en dan zag hij
vrouwen- en mannenbenen voorbij stappen. Voor
hem liepen rijen ijzeren schappen, aan weerskan-
ten uitpuilend van de in bruine omslagen gestoken dossiers, schijnbaar tot in de oneindigheid
door. Langzaam schuifelde hij langs de kop van
de stellingen zonder zich in de doolhof te wagen.

In de verte zag hij zo'n door P. beschreven me-
dewerker in grijze stofjas achter een steekkarretje
staan. Verder was er niemand in de immense kel-
derruimte te bekennen. Er hing een klamme stilte, slechts zo nu en dan verbroken door geluiden
van buiten. De man in de stofjas zag hem al van
ver aankomen. H. stelde zich voor. 'Ik heb toe-
stemming van de directeur om mijn dossier in te
zien.' De al wat oudere man knikte. Hij had een
grijze gelaatskleur, alsof zijn gezicht bedekt was

met een dun laagje poeder. Over zijn linkerwang liep het donkere streepje van een litteken. De man slofte op veterloze soldatenschoenen voor hem uit. H. zag dat hij licht hinkte. Hij ademde zwaar.

'We moeten naar vak C,' zei de man zonder om te kijken. 'Daar staan de dossiers die met literatuur te maken hebben.'

H. had de man alleen zijn naam genoemd, maar de beambte was kennelijk verteld wie hij was.

De ruimte die ze nu betraden werd verlicht door een rij neonbuizen aan het plafond. De man hield voor een van de schappen stil. Hij telde de ruggen van de dossiermappen.

'Eenentwintig,' zei hij. 'U was belangrijk. Wilt u ze allemaal inzien?'

'Laten we maar met de eerste beginnen,' zei H. 'Dan zie ik wel verder.'

De beambte trok een dikke bruine map uit de schap en liep naar een afgetrapte tafel met wat keukenstoelen eromheen. Hij legde de map op tafel en wees uitnodigend naar een van de stoelen.

'Hier rechts aan de tafelrand zit een belletje,' zei hij. 'Als u iets wilt weten drukt u er maar op.'

H. zat voor het dichtgeslagen dossier. Zijn hart bonsde. In de verte hoorde hij de beambte sloffen. Toen sloeg hij de map open.

Het dossier begon op 27 september 197* met het verslag van de redactievergadering van *Nieuwe Wegen* waarop hij zijn ontslag als hoofdredacteur had ingediend. Een van de aanwezige redactieleden moest het verslag hebben opgesteld. L. of R. of misschien de kleine astmatische V.? Zijn argumenten waren correct weergegeven. 'Ik kan niet langer geloofwaardig als hoofdredacteur optreden als de beslissingen over het redactiebeleid op het ministerie van Cultuur worden genomen.'

H. bladerde verder. In een paar uur zag hij zijn leven uit die tijd aan zich voorbijtrekken. Nu hij het ene document na het andere bestudeerde realiseerde hij zich pas met hoeveel overleg zijn isolering ten uitvoer was gebracht.

Toen hij de eerste map uit had, stond hij op en haalde de volgende. Daar had hij de beambte niet voor nodig. In de loop van die dag zag hij het verraad van zijn vrienden. Eerste huiszoeking in 198*, 22 mei. Een lijst van de in beslag genomen manuscripten en boeken, geschreven in een schools, traag handschrift. Hij zag de man weer voor zich, hoe die aan zijn keukentafel had gezeten en de stapel manuscripten, die twee anderen uit laden en bureaus tevoorschijn hadden getrokken, een voor een beschreef, het puntje van zijn beslagen tong tussen zijn tanden. Titels van gedichten die hij zich nog vaag herinnerde, een artikel over de kleurentheorieën van Goethe en

Wittgenstein, de synopsis voor een film die nooit gemaakt was. Onder aan het vel, naast de datum, stond de handtekening van de loensende man van de ACD, met een sierlijke krul aan het eind, alsof hij opgelucht was geweest dat het karwei geklaard was. Marit was woedend het huis uit gelopen. Dat stond nergens vermeld. Als een waakhond was ze met die twee agenten in burger mee door het huis gelopen. Ze had een kopie van de lijst van in beslag genomen papieren en boeken geëist en toen de loensende man die niet wilde geven was ze woedend het bos in gelopen. En hij? Hij was verlamd van angst geweest. Hij had ze geen strobreed in de weg gelegd. Nerveus bladerde hij verder. De in beslag genomen manuscripten zaten niet in het dossier. Misschien waren die elders. Of waren ze door de ACD vernietigd. Hij leunde achterover. Zijn ogen prikten. Het maakte nu trouwens niet meer uit. De ACD had ervoor gezorgd dat hij de vergetelheid al tijdens zijn leven deelachtig was geworden. Plotseling was hij te moe om door te gaan. Hij drukte op het belletje.

De man in stofjas knikte begripvol.

'De meesten wordt het te veel,' zei hij. 'Wilt u nog eens terugkomen?'

H. knikte. 'Morgen,' zei hij.

'Dan laat ik alles zo liggen.'

H. bracht de nacht in een hotel door. Hij zat lang in bad en viel toen in een diepe droomloze slaap. Toen hij de volgende ochtend wakker werd had hij het gevoel de hele nacht gewerkt te hebben.

Op weg naar de Allee van de Overwinning, waaraan het gebouw stond waarin het ACD-archief gevestigd was, viel het H. op hoe verwaarloosd de huizen eruitzagen. Dit was de vrucht van jarenlang kunstmatig laag gehouden huren ('voor eenieder een betaalbare woning'), waardoor er geen cent voor onderhoud overbleef. Gebladderde kozijnen, scheefgezakte sponningen, vervelose, afgetrapte huisdeuren. En overal die lucht van olie en kool. De mensen die hij tegenkwam leefden nu in een vrij land, maar zagen eruit alsof ze een zware last met zich meetorsten. Vrij maar werkloos.

Op een straathoek stond een platte kar op het trottoir. Op de kar een zwarte piano waarachter een man met een mopsneus en met handschoenen waarvan de vingertopjes waren afgeknipt een melodie speelde die hem bekend voorkwam zonder dat hij haar thuis kon brengen. De man had de kraag van zijn jasje opgezet en zo nu en dan blies hij tussen twee passages door even op zijn vingers. H. liep verder.

De portier van het archief bekeek hem argwanend en greep toen de telefoon. Hij was nog van de oude stempel. Zonder identiteitspapieren en speciale vergunningen geen toegang. Maar na het telefoongesprek mocht hij toch doorlopen. 'Ik weet de weg,' zei hij.

De kelder was verlaten. Het was nog vroeg. In afdeling C lagen de dossiers die hij had doorgekeken nog onaangeroerd op tafel. Hij liep naar een van de stellingen en bleef lange tijd voor de rijen met uitpuilende mappen staan. Wat was de zin van deze bezigheid? Was het geen masochisme om deze twintig verloren jaren op te rakelen aan de hand van rapporten, notities, ooggetuigenverslagen van spionnen die vanuit hun auto's zijn huis jarenlang met verrekijkers in de gaten hadden gehouden? Zijn hand ging aarzelend langs de rij bruine mappen, trok er toen een uit. Hij liep met de map naar tafel en ging zitten.

Het dossier opende op 24 oktober 198*. Het eerste vel was op een typemachine geschreven waarvan het lint versleten was. De bleke letters leken zich aan zijn blik te willen onttrekken. Zijn lippen bewogen terwijl hij de tekst las. Een paar keer moest hij hevig slikken.

M.: Trek toch niet steeds datzelfde overhemd aan.
H.: Zolang ik niet stink...

M.: Dat duurt anders niet lang meer.
H.: Is er nog koffie?
M.: Op het fornuis.

Deze conversatie had blijkens de rapporteur om 9.23 uur 's morgens plaatsgevonden. Het was ongelofelijk. Ze moesten tijdens een van de huiszoekingen een verborgen microfoon hebben geinstalleerd. En ergens, op een andere plek, had iemand gezeten die die bandopnamen had uitgetikt. Honderden vellen vol.

6 november, 11.15 v.m.
H.: Is de eekhoorn al langs geweest?
M.: Nee, ik heb Vicky nog niet gezien vandaag.
H.: Die vetbol in de appelboom is bijna op, zie je dat?
M.: Ik zal vanmiddag een nieuwe kopen. Dan komen de mezen wel terug.

Vicky. Zo noemde Marit de eekhoorn met zijn nerveus ronddraaiende kopje en de dunne staart waaraan je kon zien dat hij al oud moest zijn. Vicky, naar een oudtante van haar die aan smetvrees leed en geen ogenblik kon stilzitten.

Alles wat zij al die jaren tegen elkaar in de huiskamer gezegd hadden stond hier genoteerd. Al die dagelijkse gesprekjes over zowat niets waarmee een ouder echtpaar liet blijken innig met elkaar vergroeid te zijn. Een ritueel van geruststellingen, halve zinnetjes, toespelingen en lachend gemopper.

2 februari 198*
M.: Kan dit papier weg?
H.: Laat eens kijken. Dat is een eerste versie.
(Iemand had hier in de marge met potlood een vraagteken bij geplaatst.)
M.: Ik zou hem toch maar bewaren.
H.: Ik kom nooit op eerdere versies terug.

Hij herinnerde zich waar dit over ging. In januari 198* was hij begonnen aan een vertaling van de gedichten van Catullus. Voor zijn plezier; om iets omhanden te hebben. Hij zag Marit weer staan met het papier in haar hand, dat ze aan een puntje liet afhangen, alsof ze er vies van was. Marit hield niet van Catullus. Ze vond zijn gedichten obsceen. Het houdt de kwajongen in mij wakker, had hij gezegd. Bovendien was het een mooie gelegenheid zijn Latijn weer wat op te halen.

Hij keek voor zich uit naar de grijs gesausde keldermuren. Daar stond ze, met een scheef lachje terwijl ze hem een oude viezerik noemde, op kousenvoeten dichterbij trippelde en hem op haar tenen staande op zijn voorhoofd kuste. Wij verzamelen rimpels zoals Vicky beukennootjes, had hij eens tegen haar gezegd. Haar gezicht, zelfs toen het oud werd, hoe onverwoestbaar had het hem geleken.

Hier was iets onderstreept. *Pianomuziek*. De notulist had het stuk niet herkend en had daarom voor alle zekerheid maar een vraagteken achter het woord gezet. Hij probeerde zich de man of vrouw voor te stellen die deze gesprekken dag in dag uit vlijtig had zitten uittikken. Dachten ze echt op deze manier achter geheimen te zullen komen waarmee ze hem zouden kunnen chanteren? Marit en hij hadden geen geheimen voor elkaar en over politiek spraken ze zelden. Ze waren zich in de loop der jaren gaan gedragen alsof ze in een ander land woonden. Dit land bestaat niet, had hij eens geschreven en niemand had indertijd begrepen hoe letterlijk hij dat bedoelde.

Hoe onbeduidend hun gesprekken vaak ook waren, nu hij ze teruglas vervulden ze hem met beelden. Herkennend knikkend en glimlachend werkte hij zich door de dossiers heen. Die gesprekken waren hem op dat ogenblik dierbaarder dan welk meesterwerk dan ook. In al hun dagelijksheid openden ze de poorten van zijn herinnering.

Hij verlengde zijn verblijf in het hotel met een week. 's Avonds zocht hij drukke restaurants en cafés op. Hij voelde dat hij weer deel uitmaakte van het leven en realiseerde zich dat het de agenten van de ACD waren aan wie hij dit geluk te dan-ken had. 's Morgens werd hij met jongensachtige opwinding wakker. Hij zong onder de douche en wreef zich vergenoegd in zijn handen. Alles was bewaard. Dankzij de spionnen van de staat was er geen woord van zijn leven met haar verloren ge-gaan.

Op de zevende dag van zijn bezoek kwam de di-recteur hem opzoeken.

'U maakt er wel werk van,' zei P. vriendelijk terwijl hij op een hoek van de tafel ging zitten. 'Gaat u er soms een boek over schrijven?'

H. glimlachte en keek hem toen ernstig aan.

'Ik beleef alles opnieuw,' zei hij.

'Bent u niet erg geschrokken van wat u daar al-lemaal gelezen heeft,' vroeg P.

'U begrijpt niet half hoe gelukkig ik ben,' zei H.

'Er is sprake van dat ons land bij het buurland wordt gevoegd. Dat wij straks als zelfstandig land ophouden te bestaan,' zei de directeur.

'Dit archief is goud waard,' zei H. en wees met zijn ene hand op de stellingen om hen heen.

'Ze waren gek bij de ACD,' antwoordde P., die dacht dat H. alles wat hij zei ironisch bedoelde.

'Natuurlijk waren ze dat,' zei H. 'Gelukkig wel. Dit mag nooit verloren gaan.'

'Uit historisch oogpunt bedoelt u,' informeer-de P.

H. knikte. 'Het leven in een land is nog nooit zo uitputtend gedocumenteerd.' Hij sloeg een bladzij om en las voor:

M.: De tegels rond het fornuis beginnen los te raken.
H.: Ik zal kijken of ik ergens lijm vandaan kan halen. Misschien dat R. lijm verkoopt. Ik moet toch naar de winkel straks.
M.: Vergeet het dan niet.
H.: Ik vergeet nooit iets.

De directeur schudde zijn hoofd.
'Al die onbenulligheid,' zei hij, 'al die feiten die van geen enkel belang waren. Voor wie dan ook.'
'Dat is de kern van de zaak,' antwoordde H. en sloeg de map voor zich dicht. 'En de banden?'
P. herhaalde H.'s vraag.
'De banden waarop al deze gesprekken zijn opgenomen.'
P. haalde zijn schouders op.
'Ze gebruikten toen nog van die grote spoelen. Banden waren duur. Ze werden steeds opnieuw gebruikt.'
Even leek het alsof H. flauw zou vallen. Hij trok krijtwit weg.
'Als alles was genoteerd konden de banden worden gewist,' ging P. verder. 'Nogmaals, ze waren gek bij de ACD.'

De directeur bracht hem tot aan de buitendeur. Hij keek de bejaarde dichter na. Ja, hij leek sprekend op een hond. De mensen die H. op het brede trottoir tegemoetkwamen keken verbaasd naar dat gerimpelde gezicht dat hen stralend toelachte. Niemand is hem vergeten, dacht de directeur tevreden terwijl hij naar binnen ging. Na al die tijd wordt hij nog steeds door iedereen op straat herkend.

De volgende ochtend hoorde H. op de radio dat G. zelfmoord had gepleegd. Opeens speelde er een melodie door zijn hoofd. Hij begon zachtjes te neuriën. De pianist op de kar. Natuurlijk, de mazurka in cis kleine terts. Ze kon hem niet meer ontsnappen. Hij sloeg het gemarmerde cahier voor zich op tafel open en begon te schrijven, eerst nog traag en onwennig maar allengs steeds sneller.

Zonder tekst

'Hoe gaat het toch met de atoombom tegenwoordig?' Op een toon alsof ze naar een vriendin informeert, in lang niet gezien. Ada's rimpel-
koppie is aan één kant uitgezakt, maar haar ogen
staan fel, blikken vooruit: één brok nieuwsgierigheid nog. Achter mij hoor ik Rinus' temende
stem over een zure bom zeuren. In wat ze hier de
conversatiekamer noemen is het vrije associëren
weer begonnen.

Ze – dat wil zeggen de vier vrouwen en drie
mannen die hier zitten of voorover op het ronde tafelblad hangen – reageren soms op een zin
of een los woord, maar het stuur zijn ze allemaal
kwijt. Net of ik hier omringd ben met acteurs die
hun tekst vergeten zijn. Als oud-souffleur van het
Nationaal Toneel Gezelschap weet ik waar ik het
over heb. Mijn beroep bestaat allang niet meer.
Tegenwoordig gaan acteurs losjes met hun tekst
om, te losjes als je het mij vraagt. Of ze hebben
zo'n oortje in waardoor hun de tekst wordt voor-
gezegd. Maar een mechanische band kan niet wat
een echte souffleur kan: timen. Als je er te veel

bovenop zit, meteen ieder gaatje dat bij de geringste aarzeling van de acteurs op de vloer valt, wilt vullen horen ze in hun zenuwen niet wat je zegt. Als je het dan nog een keer herhalen moet gaat het opvallen dat een acteur of een actrice de tekst kwijt is. Bij een goede souffleur merkt het publiek daar niks van.

Hier is bijna iedereen zijn tekst kwijt. Als ze al wat zeggen is er geen touw aan vast te knopen. Jopie, een vrouw met enorme bovenarmen en een klein mager bebrild gezicht, zit de hele dag in haar stoel te schommelen en vraagt op klagende toon: 'Hoe moet dat nou?' In het begin dacht ik dat ze dat echt wilde weten. Je hoeft helemaal niets meer, zei ik dan, voor je natje en je droogje wordt hier gezorgd. Maak je nergens zorgen over. Maar dan herhaalde ze alleen maar 'hoe moet dat nou'. De enige zin die haar gebleven is. De vrouw die altijd naast haar aan tafel zit is Marylene. Gedistingeerd type. Draagt altijd dure jurken met zo'n rij parelmoeren knoopjes van voren. Haar zoon lijkt op een bever; met van die bolle wangen en een glimmend voorhoofd. Ze denkt dat die zoon, die Richard heet, haar overleden man Freek is. Richard laat het maar zo. Ze beschuldigt hem van ontrouw met Jopie. Dan lacht Richard en zegt: 'Hoe kan dat nou', waarop Jopie verheugd knikt en haar enige duit in het zakje doet. 'Zie je wel,' zegt Marylene dan en wijst met een woedende wijsvinger op de voortschommelende Jopie.

Het zijn stakkers allemaal. Ze roepen hun dode vader of moeder aan of ze willen naar huis. Maar er is geen huis meer. Marianne daar in de hoek bij het dressoir denkt al twee jaar dat ze zwanger is van haar eerste kind dat inmiddels alweer twee jaar geleden op vierenvijftigjarige leeftijd is overleden. Het is om te huilen, maar je kunt er ook om lachen. De wereld is een schouwtoneel, meneer.

Ik heb niet voor niets mijn hele leven bij het toneel gezeten. Nee, nu lieg ik; niet mijn hele leven. Ik ben begonnen als stem-imitator voor de radio. Moet u luisteren. Dat zit zo.

Als jongen al kon ik mijn familieleden precies nadoen. Bijvoorbeeld oom Frits; liep alle verjaardagen af, maar zei zowat niks. Echte eigenheimer. Dus liet ik zo nu en dan een zinnetje vallen. 'Het enige wat jullie interesseert is geld.' Dan keken ze als één man in zijn richting. Ik zag aan zijn reactie dat hij dat echt net had gedacht. Toen de familie doorkreeg dat ik hun stemmen kon nadoen werd het natuurlijk een steeds terugkerend nummer. 'Doe tante Agaath nog eens. Of kleine Johan als hij in zijn broek geplast heeft.' Daar kreeg ik ten slotte genoeg van. Oom Remco zei dat ik een buikspreeknummer in het variété moest beginnen, maar daar voelde ik niks voor, met zo'n pop op schoot en dan een nepgesprek opzetten. Grappig bedoeld misschien, maar niets voor mij.

Oom Remco zat bij het amateurtoneel. Hij kende ook mensen bij de radio. En zo kwam ik in dat bonte-avondprogramma op dinsdag terecht. Heel Nederland luisterde ernaar. Ik deed prins Bernhard (makkelijk) en Willem Drees (moeilijker; die plechtige woorden leken diep uit zijn keel omhoog geperst te worden). Koningin Juliana kon ik ook, maar dat mocht niet van de programmamakers, zo was dat in die tijd. Abe Lenstra, de Friese voetballer, was mijn favoriete stem. Eén keer liet ik hem zeggen dat hij naar het buitenland zou vertrekken om daar te gaan voetballen, in Italië. Nou, dat heb ik geweten. Tientallen telefoontjes. Ik had alles natuurlijk zelf verzonnen. De teksten van Drees en prins Bernhard niet, die haalde ik uit kranten. Je kon de mensen van alles op de mouw spelden. In het begin vond ik het leuk werk, maar op den duur kreeg ik er genoeg van. Tegenwoordig denk ik wel eens: je hebt je je hele leven van de tekst van anderen bediend, van geleende woorden. Misschien dat ik daarom solliciteerde op die baan van souffleur bij het Nationaal Toneel Gezelschap. Bij gebrek aan eigen inbreng.

Natuurlijk zit ik niet iedere dag in deze conversatiekamer. Beetje cynische benaming als je het mij vraagt want als er één ding is dat hier niet gebeurt is het wel een gesprek voeren. Iedereen mummelt maar wat voor zich uit of doet er het zwijgen toe. Ik heb een eigen kamer. Toneelfoto's aan de muur. Ik zal ze u bij gelegenheid wel eens laten zien. Ik luister veel naar de radio. Maar ik erger me aan de slordige uitspraak van die jonge-lui van tegenwoordig. Ze slikken de woorden half in, leggen klemtonen verkeerd en zetten zo'n op-gewekte keel op dat je er depressief van zou wor-den.

Niet dat ik depressief ben, verre van dat. Ik probeer me hier zo sociaal mogelijk op te stellen. Veertien dagen geleden heb ik zelfs een avond gegeven in de toneelzaal. Nee, niet als souffleur natuurlijk. Ze hebben in die zaal niet eens een souffleurshokje. Nee, met mijn oude imitaties van prins Bernhard en Willem Drees. Ook Juli-ana deed ik, het was toch niet voor de radio. Die oudjes keken verbijsterd toe. Ze begrijpen de we-reld al niet meer en nu dit. Onrustig keken ze om zich heen of ze hun grote held Willem Drees er-gens konden ontwaren. Ook deed ik een stuk uit Shakespeares *De koopman van Venetië*. De rol van Portia deed ik met de stem van Ida Wasserman. De meesten vielen in slaap, hadden geen flauw benul waar het over ging.

In mijn boekenkast heb ik al die oude scripts nog liggen. Bladzijden vol potloodaantekenin-gen van op het laatst aangebrachte veranderingen in de vertaling. De kamer die ik hier heb is niet erg groot, maar altijd nog groter dan het souffleurshok, waar het naar stof en rouge rook. Soms haal ik zo'n oud script tevoorschijn en doe ik een stukje. Meestal *Phèdre*, mijn favoriete stuk. Kent u dat? Prachtig die alexandrijnen. Ik herinner me Paul Steenbergen, toen we met dat stuk in de stadsschouwburg van Middelburg stonden. Op een of andere manier had hij een hekel aan Fransen. Zonder mij was hij die *Phèdre* nooit doorgekomen.

Maar je kunt niet altijd in het verleden leven. De meesten hier doen dat ook niet, die zijn hun verleden allang kwijt. Een paar brokstukken nog, losse eindjes. Geen touw aan vast te knopen, zoals ik al zei. Soms doe ik dan in de conversatiekamer een stukje voor ze. Als ze zelf geen taal meer hebben, niet meer weten wat te zeggen. Laatst heb ik nog wat uit *Wachten op Godot* gedaan. Stuk waar toch al niet veel van te begrijpen valt. Dus ik dacht: misschien is dat wat voor ze, kunnen ze een ogenblik lachen. Als ik even ophield hoorde ik Jopies stem. 'Hoe moet dat nou?' Sloot eigenlijk wel mooi aan, vond ik. Beckett schijnt ook in een tehuis als dit geëindigd te zijn.

Het enige vaste punt hier is het eten. Daar leven ze allemaal naartoe. De hele dag kijken ze op hun horloge. Marylene is het ergste. Die zwerft over de gangen en als iemand zijn deur open heeft laten staan gaat ze naar binnen en pikt elke klok of wekker die ze maar vinden kan. Stopt ze in een grote canvas boodschappentas. Daarom heeft iedereen een hekel aan haar. Het is Michel die aan dat klokken-pikken ten slotte een eind heeft gemaakt. Michel is nieuw in de verpleging. Iets te elegant in de heupen, als u begrijpt wat ik bedoel, maar verder een schat. En iemand met fantasie. Hij hield Marylene op een middag toen ze weer op rooftocht was geweest in de gang aan en zei dat hij van de douane was en dat dit de grens was. Of hij even in haar tas mocht kijken. Hij haalde de wekkers en zelfs een koekoeksklok uit haar tas en schudde zijn hoofd. U weet toch dat u hier geen klokken mag invoeren. Marylene sloeg een goedverzorgd handje voor haar roze gestifte lippen. O jee, nee, dat wist ze niet. Toen was het afgelopen. Van toen af aan leefde ze in een land zonder klokken, zonder tijd.

Dat had die Michel goed gezien. Juist omdat de meesten de tijd kwijt zijn kijken ze de hele dag op hun horloge. Vergeefse moeite want de meesten kunnen niet eens meer klok kijken. *A sorry lot*, zouden de Engelsen zeggen. Zo successievelijk alles kwijtgeraakt.

Ik niet. Ik heb mijn stukken. *De ingebeelde zieke* van Molière, *Antigone* van Jean Anouilh, Shakespeare natuurlijk en dan de modernen. Pinter, Arrabal. Ik mompel de woorden voor mij uit. Beter dan die wartaal van de anderen. En ieder stuk brengt zo zijn herinneringen met zich mee.

Het ergste wat je als souffleur mee kan maken is een black-out. Je weet dat het kan gebeuren, maar je houdt er toch niet echt rekening mee. Guus Hermus, ik zal het nooit vergeten. Een of ander stuk van Pinter. Je zit in dat souffleurshok en voor je hoor je de stemmen van de acteurs, je ziet ze over het toneel lopen, gaan zitten en weer opstaan. Je volgt de tekst op de voet, je lippen lispelen de tekst met de acteurs mee en dan opeens, doodse stilte. Na een ogenblik hoor je de onrust in de zaal achter je. De betovering is gebroken. En dan moet jij, nadat je een tijd die een eeuw lijkt te duren je mond hebt gehouden, het woord nemen met een stem veel harder dan je normale fluistertoon. Het duurde lang, te lang. Toen was hij er weer in. Na afloop van de voorstelling kwam Guus naar me toe. Hij excuseerde zich. Wat gebeurde er precies, vroeg ik. Hij haalde zijn schouders op, trok zijn bekende norse kop. Guus praatte niet graag over het vak. Eerst hoorde ik mezelf, zei hij. Het was alsof ik opeens naast mezelf stond, naar mezelf stond te luisteren. Ik viel letterlijk uit mijn rol, werd gewoon weer Guus Hermus.

Dat moet verschrikkelijk zijn, zo'n black-out. Hier hebben ze dat allemaal. Je vraagt je af, zijn hun woorden weg of kunnen ze er niet meer bij?

Black-out. Zo kijken de meesten ook. Alsof ze in een zwart gat staren.

Ja, ik zie u op uw horloge kijken. Toch prettig dat u naar mij heeft willen luisteren. Ik vraag me inderdaad wel eens af: hoe is het met de atoombom. Wat denkt u? Misschien heeft u gelijk en zijn we die bom met zijn allen vergeten.

U vindt de weg naar buiten wel? Het ga u goed.

De onverbiddelijke merels

De as van de overledenen wordt in zandlopers bewaard. Die zandlopers staan op de schoorsteenmantels van alle huizen. Bij grote families kan het
daarbij om vele tientallen gaan. Het behoort tot
de taak van de vrouw des huizes ze te keren zo
gauw de as op de bodem van het onderste glas
van de zandloper is gelopen. Ook oudere kinderen worden soms met die taak belast. Zo houden
zij de doden in leven, bij zich, en vergeten ze ze
niet. Voorzichtig keren ze de zandlopers om en
kijken hoe de fijn gezeefde grijze as in een smal
stroompje door de nauwe hals tussen de twee kol-
ven naar beneden glijdt. De gewoonte stamt naar
alle waarschijnlijkheid uit de tijd dat het dorp nog
een vissersdorp was. Op iedere schuit hing zo'n
tijdglas in de stuurhut. Vandaar de uitdrukking
'glazen lopen'. Ik heb vier glazen gelopen. Dat
wil zeggen, viermaal een halfuur wacht.

Ze zouden raar opkijken als ze dit lazen. Maar dat
kunnen ze niet omdat het niet is opgeschreven.
Schrijven kan ik niet meer, praten evenmin; lezen
slechts met de grootste moeite. Alleen het den-

ken is mij nog gegund. Dat gaat onverminderd door. De hele waarheid is dat niet. Twee woorden zijn er om een of andere raadselachtige reden gespaard gebleven. 'Fijn zo'. Ik gebruik ze met mate omdat ze me vervelen en vrijwel nooit een passend antwoord vormen op wat er hier tegen mij gezegd wordt. Want begrijpen doe ik alles. Het spreken is mij afgenomen, maar niet het begrip. En het denken, dat mij alleen als ik slaap met rust laat. Nee, dromen doe ik nooit. Voor zover ik weet. Daarentegen leek het leven kort na het incident een droom te zijn. Van deelnemer was ik in één klap toeschouwer geworden. Van op een afstand keek ik naar mijn gekortwiekte leven. Zonder dat ik me het herinnerde was ik van mijn huis naar hier overgebracht, naar deze kamer met uitzicht op de tuin van het verpleegtehuis. Hoe lang ben ik bewusteloos geweest, heb ik in coma gelegen? Geen idee. Ik kan het niet vragen. Een zware hersenbloeding, hebben ze me verteld. Onherstelbare schade. Niet dat ze niet van alles geprobeerd hebben. Bewegingstherapie, logopedie, leestraining. Het heeft allemaal niet geholpen. Mijn hele rechterkant is verlamd. Daarom zit ik het grootste deel van de dag in deze rolstoel en kijk uit het raam. Niet dat er iets te zien valt. Achter de tuin van het tehuis loopt een weg waarop soms een auto voorbijkomt. In de twee berken daar links strijken soms vogels neer, merels, mezen. Bij mooi weer rijden ze me naar buiten en kan ik naar hun gezang en getjilp luisteren. Mijn gehoor is nog even scherp als vroeger. In het begin – het begin van dit tweede, gemankeerde leven – zag ik alles dubbel, maar dat heeft zich hersteld. Televisie heb ik hier niet, gelukkig niet. En de radio, die ze soms aanzetten om 'de stilte te doorbreken', zoals ze dat noemen, stoort. Flarden Mozart en Haydn die in gezoem of gesis verloren gaan. Tot ik begin te schreeuwen en er iemand komt en hem weer afzet. Stilte is het beste. Soms brengen ze mij een krant, maar de zinnen die ik lees blijven niet hangen. Het verband ertussen ontgaat mij. Er is iets mis met mijn kortetermijngeheugen. Ook het langetermijngeheugen is aangetast. Zo kan ik me bijvoorbeeld geen beeld meer vormen van het huis waarin ik vroeger gewoond moet hebben, van het interieur, de voorwerpen die ik om mij heen had. Hier zijn er bijna geen. Een Spartaanse inrichting. Een houten tafel, twee stoelen, in de hoek een bed. Dat is alles. Niets aan de glad gesausde grijze muren. Ik mis niets. Omdat er geen vroeger meer is. Bijna niet.

In het begin was ik in paniek. Het was alsof iemand een net over mij heen geworpen had. Wanhopig probeerde ik me door de mazen naar buiten te worstelen. Tot ik besefte dat ik voorgoed in mijn hoofd zat opgesloten, alleen nog maar een denkend hoofd was. Dat is genoeg.

Nee, ik lieg. Het is niet genoeg. Alle dagen lopen naadloos in elkaar over. Elke dag dezelfde routine. Ze helpen me met opstaan, met wassen, kleden me aan en geven me te eten. De rest van de dag ben ik alleen. Alleen met mijn denken, met de schaarse herinneringen die ik nog heb. Dat ik in mijn werkzame bestaan onderwijzer geweest ben. Soms hoor ik kinderstemmen in mijn hoofd, hoor ik mijn eigen stem die woorden voorzegt, een dictee dicteert. Dan zie ik mij weer tussen de tafeltjes door lopen. Ik voel dat mijn lippen bij die herinnering in beweging komen. Ook weet ik dat ik een vrouw had, al ben ik haar naam vergeten. Ik weet dat ze dood is, al geruime tijd dood. Geen kinderen. Die had ik op school al genoeg. Maar verder alleen met mijn denken, dat soms geen genoegen neemt met zijn roerloze omgeving, met het totale gebrek aan prikkels. Kale muren en een uitzicht dat altijd hetzelfde is.

Op die momenten zie ik het dorp voor me. Het nu verlaten dorp. Het lag vlak aan zee. Toen begonnen de duinen op te rukken. Heel traag bewogen die schaars met helmgras begroeide heuvels zich in de richting van het dorp tot ze de buitenste rij huizen bereikten en zich tegen de muren ophoopten, de raamkozijnen bereikten, het glas indrukten en zich naar binnen stortten, de ka-

mers in. Waar de bewoners gebleven zijn? Gevlucht voor het oprukkende zand, vermoed ik.

Ik heb wel eens gelezen, dat herinner ik mij
heel duidelijk, dat langgestraften in hun cel een
eigen wereld creëren, een huis, een kasteel, een
stad waarin ze in gedachten rondlopen, vrij. Ze
scheppen een eigen wereld, tot in de kleinste de-
tails. Zoiets doe ik ook. Of liever gezegd, dat doet
mijn denken. Dan ontsnap ik naar dat steeds verder in het zand wegzinkende dorp dat soms uit
houten dan weer uit stenen huizen bestaat. Ik tel
de rijen stenen, de donkere knoesten in de planken wanden. Ik waad moeizaam door het zand dat
de straten bedekt. Ik kijk de half met zand gevul-
de kamers in. Hier en daar staan er zandlopers
op de met zand bedekte schoorsteenmantels. Dan
baan ik mij een weg naar binnen en draai ze een
voor een om. Ik weet niet precies waarom ik dat
doe.

Ik moet toch gedroomd hebben. Weer die angst
en paniek, die ik maar met moeite kan onderdruk-
ken. Flarden van een nachtmerrie. Ik ben met een
stel kinderen op schoolreisje. Ik sta op een heu-
vel. Aan de voet een met een rieten dak overdekt
terras. Daaronder zitten de kinderen. Maar ik mis
er een. Ik hoor mijzelf roepen, word wakker van
mijn eigen geroep.

Dan sluit ik mijn ogen en ben ik terug in het

dorp. Ik loop naar het schooltje waar ik naast woon. Voor de ramen van de lokalen verdringen zich kindergezichten. Ze kijken mij angstig aan. Achter mij weet ik het oprukkende zand. Ik kan niets voor ze doen.

Ik open mijn ogen en kijk naar het grasveld, naar de borders met rozenstruiken. Het kost me steeds meer moeite de afzonderlijke bladeren en takken te onderscheiden. Ik zie wat ik denk als ik denk: bomen, takken, bladeren. Abstracties dus. Omdat er nooit iets verandert verliest de werkelijkheid zijn aanwezigheid, trekt zich terug in taal, woorden, loze begrippen.

Op zulke momenten keer ik ijlings terug naar het dorp voordat het zand er zijn intrede deed. In het midden het dorpsplein met de kerk, het huis van de burgemeester, van de notaris met zijn arduinen stoep. Een café met een mosgroene luifel en een terras met houten stoelen. Nergens iemand te bekennen. Alle straten van het dorp komen op dit verlaten plein uit. Altijd is het er twaalf uur. Nergens schaduwen. En nergens zand nog. Ik kan de steentjes van de straten tellen, de grassprieten die tussen de stoeptegels groeien en lichtjes bewegen in de wind. Maar altijd die vage angst voor het oprukkende zand achter mijn rug.

Ik blijf liggen tot ze me komen helpen met opstaan, wassen. Verpleegsters van allerlei slag, steeds anderen. Ik neem niet de moeite hun namen te onthouden. Allemaal praten ze op dezelfde manier tegen mij. Alsof ik een kind ben. Eigenlijk is het erger, ik ben nog hulpelozer dan een kind. Ze spreken in korte rompzinnetjes. Soms kwomt dat doordat ze uit het buitenland kwomen en met een zwaar accent het handjevol Nederlandse woorden dat ze tot hun beschikking hebben hanteren. Omdat ik alleen maar 'fijn zo' kan zeggen denken ze waarschijnlijk dat ik niet helemaal goed wijs ben, dat ik de dingen alleen kan begrijpen als ze heel eenvoudige zinnen gebruiken. Meestal zijn ze met zijn tweeën. Terwijl ze mij helpen met aankleden, praten ze over mijn hoofd heen met elkaar. Verhalen over verloofdes, over hoe ze het weekend hebben doorgebracht. Ze kijken nauwelijks naar hun handen die automatisch hun werk doen. Laat staan dat ze zich tot mij richten. Ik kan niet praten, dus waarom zouden ze de moeite nemen? Ze hijsen mij in de rolstoel en rijden mij tot vlak bij het raam. Achter mijn rug hoor ik de deur dichtslaan, het gerinkel van de ontbijtwagen die van kamer tot kamer gaat. Zo gaat het iedere dag. Tot blokjes gesneden boterhammen die ik met mijn linkerhand naar binnen prop. De weldadige ijskoude melk in een stenen beker, die ik naar mijn lippen breng en dan gulzig leegdrink.

Ik probeer niet meer aan een vroeger te denken, aan een vorig leven dat er eens geweest moet zijn. Ik moet me rustig houden, zorgen dat de paniek geen kans krijgt. Dan dwaal ik, terwijl mijn ogen naar de bomen en struiken buiten kijken, terug naar het dorp dat in de herfst helemaal onder het zand zal verdwijnen. De herfststormen zullen het zand tot aan de dakrand van de huizen opstuwen. Daarbinnen zijn de kamers tot aan de plafonds met zand gevuld en pikdonker. Alleen ik heb er toegang, alleen ik kan mij daar nog vrij bewegen, als enige. Ik graaf de schoorsteenmantels vrij en draai de zandlopers om. Omdat het moet. Omdat het leven ondanks alles door moet gaan.

Soms nemen ze mij mee naar buiten, naar het park. Daar staan de anderen met hun rolstoelen rond de vijver waarin riet groeit en kikkers eentonig kwaken. Waarom hangen oude mensen toch nog aan het leven? Zelf ben ik ook oud, al ben ik mijn precieze leeftijd vergeten. De meesten zijn immobiel, kunnen alleen bewegen als ze voortgeduwd worden. Een plek in de wereld. Die wil je voor geen prijs opgeven. Ik hoor ze over vroeger kletsen, over hun kwalen, hun kinderen die niet of te weinig op bezoek komen.

Zelf heb ik een zoon, dat weet ik zeker. Ik weet niet waar hij uithangt. Ik heb hem hier nog nooit gezien. Misschien is hij dood. Over de dood heeft niemand het hier, al gaan er genoeg. Maar er komen steeds nieuwen bij. Misschien valt het ze niet meer op. Zelf denk ik ook niet over de dood na. Het heeft geen zin. Op een dag komt hij, met of zonder pijn. Voor pijn kun je bang zijn, niet voor de dood. Die is niets. Het leven is zinloos, maar dat is het altijd geweest. Zo kijk ik ertegen aan. Ik heb het dorp, de namen van zijn straten. De Bilderdijkstraat, de Staringstraat, de Busken Huetstraat en het dorpsplein dat Potgieterplein heet. Namen van schrijvers die niemand meer leest. Ook de straatnaambordjes zullen eens met zand worden overdekt, net als de naamplaatjes bij de deurposten van de verlaten huizen. Vandaag ontdek ik een smidse. Aan de muur hangen paardenleidsels. Op de met stro bedekte vloer liggen verbogen hoefijzers. Als je de lucht diep naar binnen zuigt kun je nog vaag de geur van paarden ruiken. Of misschien komt die geur van dat hoopje verdroogde paardendrollen in een van de hoeken van het schemerachtige vertrek. Als ik ertegen schop vallen ze uit elkaar, stijgt er een klein stofwolkje uit de restanten op. Ook de dieren zijn weggetrokken, op een paar vogels na die hoog boven de duinen laveren. Op een van de daken zit een merel te zingen. Hier recht voor mij hoor ik door het half openstaande bovenlicht zijn machtig gezang. Machtig gezang? Moet uit een boek komen dat ik ooit gelezen heb.

In het begin heb ik het nog wel geprobeerd, een boek te lezen. Maar de inhoud ontgaat me. Ten slotte heb ik het opgegeven. En nu interesseert me dat niet langer. Aap-Noot-Mies. Daar begint het mee. De triomf van die kleintjes als ze hun eerste zinnetjes kunnen lezen zonder te haperen, hun eerste woorden schrijven zonder dat de letters buiten de lijntjes treden.

Er is een verpleegster die anders is dan de andere. Frieda. Zij neemt de tijd, gaat naast mij zitten en leest mij voor uit de paar boeken die hier verzeild zijn geraakt of misschien van mijn vroegere huis naar hier zijn meegekomen, wie zal het zeggen. Als iemand mij voorleest kan ik een boek begrijpen, zegt het mij wat. Soms krijg ik dan tranen in mijn ogen omdat ik het gevoel heb voor vol te worden aangezien, te kunnen begrijpen wat die schrijvers hebben bedacht. Ze leest goed, zonder accent of dialect. Ze neemt de tijd voor me. Ik schat haar in de veertig, al vind ik het steeds moeilijker de leeftijd van jonge mensen te raden. Ze heeft recht afgesneden kort bruin haar. Haar ogen zijn rustig en groen. Ze heeft volle lippen maar zonder lippenstift. Als ze me bij mijn naam noemt glimlach ik. Ja, zo heet ik. Ze spreekt mijn naam anders uit dan de overige verpleegsters. Met een soort respect. Zij is de enige met wie ik een band heb. Als ik zou kunnen praten zou ik haar misschien over het dorp en het oprukkende zand vertellen.

Ze komt niet iedere dag. Soms blijft ze een week weg, althans de tijd die ik voor een week houd. Misschien werkt ze dan op een andere afdeling. Als ze terugkomt leest ze verder waar ze gebleven is. In de tussentijd ben ik het voorgaande vergeten. Ze zou wat mij betreft steeds hetzelfde boek kunnen voorlezen. Maar ik zeg alleen maar 'fijn zo', glimlach en luister naar haar lichte stijgende en dalende stem, de stem van een jong meisje lijkt het me soms.

Als ze die ochtend binnenkomt heb ik de dagelijkse hardhandige behandeling van de verpleegsters net ondergaan. Duwen, trekken, begeleid door die quasi-opgewekte stemmen met hun 'ziezo, dat zit weer', 'een twee hupsakee' en 'mooi weer vandaag, niet?' Met mijn linkerhand maak ik het bovenste knellende knoopje van mijn overhemd los.

Ze hebben me met mijn rug naar de deur voor het raam gezet. Daarom zie ik Frieda pas als ze naast me staat. Ze is heel stil binnengekomen. Er is iets aan haar veranderd. Terwijl ze naast mij gaat zitten en het boek waaruit ze mij voorleest van tafel pakt en openslaat op de plek waar een raffia boekenlegger de plaats aangeeft waar ze is gebleven, zie ik wat het is: ze heeft haar lippen gestift en met mascara haar ogen opgemaakt. Haar gezicht, met de bleke wangen, de bollende kin en een franje van bruin haar over haar voorhoofd, lijkt daardoor dichterbij, warmer, menselijker. Dan draait ze het boek op haar schoot om, glimlacht en buigt zich naar mij toe. Haar borsten spannen achter de helderwitte verpleegstersblouse met boven de rechter het plaatje met haar naam: F. Lohuizen. Haar onderlip trilt. Het is alsof zij ergens over aarzelt en daarom zeg ik ter aanmoediging de enige twee woorden waarover ik beschik.

'We kennen elkaar nu zo lang dat ik u iets over mijzelf wil vertellen in plaats van een verzonnen verhaal voor te lezen. Ik heb altijd zielsveel van mijn moeder gehouden. Zij is ook de reden dat ik nooit getrouwd ben. Mijn vader overleed toen ik dertien was en vanaf dat moment heb ik mij altijd verantwoordelijk voor haar gevoeld. Het is een goed gevoel, verantwoordelijkheid. Mijn moeder was een nogal afhankelijke vrouw. Ze zat het liefst thuis met een borduurwerkje. Het was alsof ze na de dood van mijn vader niet meer helemaal leefde. Het leven buiten de deur gleed langs haar heen. Ik was haar enige aanspreekpunt. Ik nam haar zoveel mogelijk overal mee naartoe, maar ze was altijd blij als ze weer naar huis mocht, terug naar haar borduurraam, en de planten in haar tuin. Mijn vader had altijd beweerd dat ik een slim kind was, dat ik intelligentie voor twee bezat. Daarmee doelde hij op het zusje dat drie jaar na mij werd geboren en dat twee jaar later aan een bacteriële infectie overleed. Ik kon inderdaad goed leren, liet me niet afleiden door andere kinderen die niet na schooltijd direct naar huis moesten om het huishouden te doen, boodschappen te halen en te koken. Nu denk ik dat mijn moeder eerst jarenlang in de rouw was en daar op een gegeven moment niet meer van loskwam. Rouw veranderde in een depressie. Ik zag het ook aan haar borduurwerkjes van kastelen en kathedralen. Die zagen er allemaal even gesloten, afwerend uit. Na mijn schooltijd heb ik met vallen en opstaan mijn verpleegstersopleiding gedaan. Omdat ik voor mijn moeder moest zorgen kon ik geen vaste baan in een ziekenhuis nemen, maar liet ik mij inschrijven bij een uitzendbureau voor medisch personeel. Soms benauwde het samenleven met mijn moeder me wel eens, maar ik wist dat ik een opdracht had. Ik ben nooit gelovig geweest, gelovig in traditionele zin. Maar ik geloof wel dat ik ergens van hogerhand een opdracht heb gekregen. Niet alleen om mijn moeder te verzorgen, maar ook de patiënten die ik onder mijn hoede krijg. Hun afhankelijkheid en dankbaarheid vormen voldoende compensatie voor mijn gevoel van eenzaamheid. Op mijn werk sta ik bekend om mijn inzet. Ik heb er altijd voor gewaakt de verpleging als een routineklus, als alleen maar werk om geld mee te verdienen, te beschouwen. Daarvoor zijn mensen mij te lief. Twee jaar geleden is mijn moeder overleden. Ik heb haar eerst thuis verpleegd en toen dat niet meer ging werd zij opgenomen in een verpleegtehuis. Niet dit huis, maar een ander. Zo kwam ik in aanraking met de ouderenzorg. Ik vond daarin nog meer bevrediging dan in de gewone verpleging. Oudere mensen hebben hulp, troost en ondersteuning nodig. En soms verlossing, verlossing uit een ondraaglijk lijden. Daar is in de tehuizen niet altijd oog voor. De meeste verpleegsters zijn te jong om zich in oude mensen in te leven. Ik niet. Misschien omdat ik al die jaren mijn oude moeder heb verzorgd. Ik weet hoe ze denken, ik kan de tekens duiden waarmee ze te kennen geven niet verder meer te willen. Er wordt veel over gesproken, maar niemand doet er wat aan. Ik wilde niet dat die oude mensen, sommige dement of verlamd, hetzelfde lot ondergingen als mijn moeder die ten slotte aan uitdroging is gestorven. Zo is het allemaal begonnen. Nogmaals, ik heb een opdracht. Van wie of wat afkomstig weet ik niet, maar het gevoel is sterk en bedriegt me nooit. Ik weet wanneer ik handelend moet optreden. Denk niet dat ik over-haast te werk ga. Ik kies de gevallen zorgvuldig uit. Omdat ik vaak 's nachts werk heb ik de sleu-tel van de medicijnkast en zo kon ik mijn eigen voorraad aanleggen. Er werd nauwelijks toezicht op gehouden. Ik wist wat ik deed, wat ik gebrui-ken moest en in welke doses om ontdekking te voorkomen. Al mijn veertien patiënten stierven daarom een natuurlijke dood. Ik denk dat u mij begrijpt. Er komt een moment waarop je naar de dood verlangt. En als er dan iemand is die de hel-pende hand biedt...'

Ze hield op en keek mij een ogenblik bijna sme-kend aan. Ik kon moeilijk 'fijn zo' zeggen. Voor een keer kwam het goed uit dat ik met stomheid geslagen was. Zou het waar zijn wat ze mij zojuist verteld had. En waarom had ze mij haar geheim verteld? Ze stond op, pakte mijn goede hand en kneep er even zachtjes in. 'Tot de volgende keer,' zei ze.

Waren die bezoekjes van haar, die voorlees-sessies, bedoeld om mij te observeren, te bepa-len of ik al voor haar 'behandeling' in aanmer-king kwam? Misschien had ze mij uitgekozen om haar geheim te delen omdat ik haar niet verraden kon en door te luisteren haar geweten ontlastte.

Vanwege mijn toestand was ik een ideale biecht-vader.

Ik was er zo door geschokt dat ik mij terug-trok in het dorp. Het zand was nog dichterbij ge-komen. De buitenste rij huizen was al helemaal verdwenen. De kinderen met hun angstige ge-zichten waren voor de ramen van de leslokalen verdwenen.

Ik heb Frieda niet meer teruggezien. Een van de verpleegsters kwam later met een krant en las mij het bericht voor. De verpleegster F. L. (45) werd verdacht van moord op ten minste tien bejaar-den. Verder onderzoek naar de omstandigheden waaronder patiënten het afgelopen jaar in diver-se tehuizen waar zij gewerkt had waren overleden was nog gaande. F. L. bevond zich in voorarrest en was al voorgeleid voor de rechter-commissa-ris. Het proces werd in het najaar verwacht. Zelf beweerde zij onschuldig te zijn aan de haar ten laste gelegde moorden. Maar ik wist beter, al kon ik dat niemand vertellen.

In het najaar vond het proces plaats. Frieda werd veroordeeld tot tien jaar gevangenisstraf en tbr. Ze zit nu in dezelfde situatie als ik, opgesloten in een cel. Zou zij zich ook een uitweg dromen? Na die bekentenis van haar heb ik veel nagedacht. Die zogenaamde opdracht van haar kwam uit haar eigen hoofd, uit haar eigen denken voort. Een waandenkbeeld. Zo werd er door de deskundigen op het proces ook over gesproken. Ze eigende zich de plaats van de schepper toe, schreef een journalist. Maar wat als de schepper niet bestaat, als je daarin niet gelooft. Dan rest alleen het denken. Bij haar liep dat mis. Niet haar denken, het uitgangspunt ervan was verkeerd en verschrikkelijk.

Alleen de schoorstenen van de hoogste huizen steken nu nog boven het stuivende zand uit. De school is eenvoudig te lokaliseren. Ik klauter over de heuvels, zak weg in het zand, krabbel op handen voeten moeizaam vooruit tot ik ten slotte met beide armen de schoorsteen kan omvatten. Gelukkig zitten er klimijzers aan de zijkant zodat ik tot boven op de schoorsteen kan komen. Ik hijg van inspanning. Eerst met mijn ene, dan met mijn andere been laat ik mij door het smalle rookkanaal zakken. Ik houd mijn armen stijf tegen mijn lichaam gedrukt, bang om in de smalle schacht te blijven steken.

Het ademen gaat steeds moeilijker, zwaarder. Benauwd. Dan word ik naar buiten geperst. Ik zie de kinderen voor hun tafeltjes in de klas zitten. Ze hebben hun handen gevouwen, alsof ze in gebed zijn. Ze wachten geduldig tot ik voor de klas kom staan en met de eerste les begin. Aap-Noot-Mies. Ik laat het ze nazeggen. Helder klinken hun jonge stemmen, vol verwachting. Aap-Noot-Mies. Mijn lippen bewegen op de cadans van hun stemmen mee. Door het open bovenlicht hoor ik merels, de onverbiddelijke merels.

Verantwoording

'Van een kat en een harmonica', uit: *Stenen spoelen*, 1960.

'De klok', 'Hondendromen', 'De bomen', 'De druppel' en 'Geboorte', uit: *Hondedromen*, 1974.

'Oom Arthur' en 'Het washandje', uit: *Anekdotes uit een zijstraat*, 1978.

'Het begin van tranen' en 'De Amerikaanse', uit: *Cellojaren*, 1995.

'Doe maar of je thuis bent' en 'Verbroken zwijgen', uit: *Verbroken zwijgen*, 2002.

'Zonder tekst' en 'De onverbiddelijke merels' verschijnen hier voor het eerst.

Ander werk van Bernlef

Constantijn Huygensprijs 1984
P. C. Hooftprijs 1994

Achterhoedegevecht (voorheen *Stukjes en beetjes*,
roman, 1965)
Sneeuw (roman, 1973)
Meeuwen (roman, 1975)
De man in het midden (roman, 1976)
Onder ijsbergen (roman, 1981)
Hersenschimmen (roman, 1984)
Diepzeeprijs 1989
Publiek geheim (roman, 1987) AKO Literatuur
Prijs 1987
Ontroeringen (essays, 1991)
De witte stad (roman, 1992)
Niemand wint (gedichten, 1992)
Eclips (roman, 1993)
Schiet niet op de pianist. Over jazz (essays, 1993)
Vreemde wil (gedichten, 1994)
Alfabet op de rug gezien. Poëzievertalingen (1995)
Cellojaren (verhalen, 1995)
Achter de rug. Gedichten 1960-1990 (1997)
Verloren zoon (roman, 1997)
De losse pols (essays, 1998)
Aambeeld (gedichten, 1998)
Meneer Toto – tolk (proza, 1999)
Haalt de jazz de eenentwintigste eeuw? (essays, 1999)
Boy (roman, 2000)
Bernlefs Beste volgens Bernlef (2000)
Bagatellen voor een landschap (gedichten, 2001)

Tegenliggers. Portretten en ontmoetingen (2001)
Verbroken zwijgen (verhalen, 2002)
Buiten is het maandag (roman, 2003)
Kiezel en traan (gedichten, 2004)
Een jongensoorlog (roman, 2005)
De onzichtbare jongen (roman, 2005)
Hoe van de trap te vallen (jazzverhalen, 2006)
Op slot (roman, 2007)

Uitgeverij Querido stelt alles in het werk om op milieuvriendelijke en duurzame wijze met natuurlijke bronnen om te gaan. Bij de productie van dit boek is gebruikgemaakt van papier dat het keurmerk van de Forest Stewardship Council (FSC) mag dragen. Dit papier is afkomstig uit verantwoord beheerde bossen.

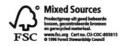